The Dictionary of Modern Basic English Words

現代英語基礎語辞典

杉田 敏 Sugita Satoshi

ブックデザイン
阿部美樹子

編集協力
株式会社kotoba

校正
見坊行徳

イラスト
ワタナベケンイチ

はじめに　　　　子供たちが遊びながら数を覚えるために歌ったイギリスの古い「数え歌」には、それぞれの数字に対応する動物が楽しく描かれています。

　いくつかバリエーションがあるようですが、伝統的に口伝^{くでん}されるうちに変化してきたのでしょう。いずれも韻を踏んでいて、数字を楽しく学ぶのにぴったりな歌詞とリズムを持っています。

One, one, one,	A cat in the sun.
Two, two, two,	Bears in the zoo.
Three, three, three,	Crows in the tree.
Four, four, four,	Dogs on the floor.
Five, five, five,	Bees in the hive.
Six, six, six,	Hens by the chicks.
Seven, seven, seven,	Larks in the heaven.
Eight, eight, eight,	Ducks by the gate.
Nine, nine, nine,	Birds in a line.
Ten, ten, ten,	Pigs in the pen.

　そこに使われているのは、小学校に上がる前の子供たちでも知っているような短い単語です。5文字以上の単語は three、seven、eight、floor、chick、heaven の6つだけで、あとは1文字 (a)、2文字 (in、by など)、3文字 (one、pen など)、4文字 (five、bear、duck など) から成っています (ちなみに four は、文字数と意味が合致する唯一の英単語です)。

　この数え歌は、英文学者で文化功労者の福原麟太郎先生が執筆された *The Globe Readers* (研究社刊) という中学校の英語の教科書の1年生向けの Book One に紹介されていたものです。

　これは私が中学校で英語を勉強し始めた時の最初の教科書です。あちらこちらにイギリスの風物詩や文化的情報がちりばめられていたユニークな教科書でした。

　しかし、この数え歌の中で奇妙に思えたのは、10番目の Pigs in the pen でした。はてな。「ペンの中のブタ」とはどのような風景を想像したらいいのだろうか。万年筆の中にブタが入っているとは…。

　当時、英語の先生が説明してくれたのは、この pen は This is a pen. の「ペン」ではなく、「囲い」という意味だということでした。野球で投手がピッチング練習をするところを「ブルペン」(bullpen) と呼びますが、「その pen だ」というのです。

　なるほど。一般の日本人が pen と聞けば、「筆記具」以外のものは思いつかないでしょうが、数え歌に親しむようなイギリスの子供たちにとって、pen という語から連想するのはまず「囲い」なのか！　英語を学

び始めたばかりの私にとっては、驚きでした。

　生まれて間もない長女と妻を連れてアメリカで生活するようになって、playpen というものがあるのを初めて知りました。これは「ベビーサークル」と和製英語で呼ばれているもので、「ひとり立ちが出来るようになった赤ちゃんを安全に遊ばせておくための組立式の囲い」（『新明解国語辞典　第八版』より）のことです。

　やはり英語のネイティブスピーカーが最初に学ぶのは、「囲い」の意味の pen なのだと納得した次第です。

　この数え歌の2番目には Bears in the zoo が出てきます。zoo は zoological garden の短縮語で「動物園」のことですが、ビジネスパーソンが自社の状況を It's a zoo. と表現したら、社内に動物園があるということではなく、オフィスの状況が「しっちゃかめっちゃか」「混乱状態」にあるという意味です。

　また8番目の Ducks by the gate に出てくる duck は、「アヒル」という名詞ですが、動詞として Duck! とだれかが言ったとすれば、「身をかがめろ」「かがんで逃げろ」という意味です。アヒルが頭をひょいと引っ込める動作から、そのような意味に使われるようになったのでしょう。

　このように4文字あるいはそれ以下の字数で成り立っている短い単語でも、日本の英語学習者があまり知らない、あるいは語法を理解していないものはたくさんあります。また the、be、to、of、and、a、in、that、have、I の10語が、英語の書きことばや話しことばの

4分の1を占めているそうです。

　語学の学習において大切なのは、語彙を増やしたり、ことばの精確な意味を知ることだけではありません。英語を母語とする人たちが共通に持つ「文化」（cultural literacy）を学ぶことが不可欠です。言語が水面から上にでている氷山の頭の部分だとすると、文化はその部分も含めた氷山全体を意味します。

　本書は、1文字語、2文字語、3文字語、4文字語で構成される「基礎語」だけを集録し、例文と共に現代的な語法を説明した世界にも類を見ない「読む辞典」です。一度本書を開いたら、関連する項目や例文やコラムも読んで、是非、言語としての英語だけでなく、英語圏の文化にも知識を広げてみてください。

　この『現代英語基礎語辞典』の源泉は、NHKラジオで32年半続き、100年にわたる日本の放送史上最長寿の語学番組となった「実践ビジネス英語」などのビジネス英語の番組です。

　これまでに出版した『やさしいビジネス英語　実用フレーズ辞典』（2003年、NHK出版刊）、『現代アメリカを読み解く』（2019年、DHC刊）の内容を全面的に見直し、現代の用法に合うよう説明を手直しし、例文をつけ加えました。

　英語を学び始めた初心者から英語を使う職業に就いている人まで、広く英語に興味を持つ学習者に読んでいただきたい本です。

　　　　　　　　　　　　　　　　　　　杉田敏

この辞書の
使い方

1文字〜4文字から成る基礎語を、1文字語からアルファベット順に並べています。基礎語の意味を、解説文やその語が使われているフレーズなどを通じて理解してください。

基礎語見出し

フレーズ見出し

bean 名豆
bean counter 《口》経理係、会計士

経理、会計、財務などの職業のニックネームの1つ。「数字しか頭にない」といった多少軽蔑的な響きがある。「大量の計算をする人」という意味の number cruncher とも呼ぶ。

> **職業のニックネーム**
> • headhunter　正式には executive recruiter と呼ばれる幹部級人材スカウト係（＊もともとは「首狩り族」の意）
> • techie　コンピュータなど IT の技術系の人たち
> • lab rat　実験室で働く科学者やリサーチャー

関連する情報をコラムの形式で紹介しています。

pink 名形ピンク（の）
pink は「女性の色」とされてきた。1992 年刊行の *Longman Dictionary of English Language and Culture Second Edition* には pink の項目のところに、Pink is often thought of as a colour for females. Girl babies are sometimes given pink clothes and boy babies, blue. (ピンクはしばしば女性の色と思われがち。女の子の赤ちゃんにはピンク、男の子の赤ちゃんにはブルーの服を与えられることもある) という説明がある。☞ job（pink-collar job）

pink-slip 動解雇通知を出す ☞ slip

複数の基礎語が使われているフレーズは、
それぞれの基礎語見出しの下にフレーズ見出しを立てています。
うち1箇所にのみ説明を記し、そのほかは
フレーズ見出しのみ表示した上で参照先を示しています。

主な略語

《口》	口語	名 名詞		前 前置詞	
《俗》	俗語	動 動詞		代 代名詞	
《婉曲》	婉曲語	形 形容詞		助動 助動詞	
《米》	アメリカ英語	副 副詞		接辞 接頭辞、接尾辞	
《英》	イギリス英語	接 接続詞		複 複数形	

主な記号

[ ]	差し替え可能
( )	補足・省略可能・日本語訳など
(＊)	背景情報
/ /	発音記号
●	用例
☞	参照

コラム（語法やことわざ、ジョークなど）

> **e で始まる語**
> e-book は electronic book（電子書籍）のことで、それを読むのに必要とされるのが e-reader（電子書籍リーダー）である。

> **新しい運動を始めるには**
> movement には「（社会活動などの）運動」という意味もあるので、こんなジョークがある。

1文字語
One-letter words

a から Z まで

One swallow does not make a summer.

イギリスの古いことわざ。「ツバメが1羽来ても、夏到来とは限らない」から、「単一の事例だけで、一般的な状態が起きたと判断すべきではない」「早合点は禁物」ということ。

a 《不定冠詞》ある…、…につき

不定冠詞の a は数量・期間を表す名詞と共に、「…につき」「…ごとに」（per）という意味でも使う。once a week（週に1度）、$5 a kilo（1キロあたり5ドル）など。☞ per（per capita）

• $1,000-a-plate dinner（1皿1,000ドルのディナー）（＊資金集めのための「会費（最低）1,000ドルのディナーパーティー」を指し、その会費の大部分は寄付となる。一般的に政治家が行う資金集めのパーティーの意味で使われるが、純粋なチャリティのためのイベントの場合もある）

many a ...　数多くの…、たくさんの…

many に続く名詞は通常複数形だが、文語では many a [an, another] に単数名詞を伴って使うこともある。概念は複数だが通例単数扱いで、Many a student is [was, has] ... などとなる。たとえば、many a time は「何度も」「たびたび」（many times と同義）、many a friendship は「数多くの友情」のこと。

• Many a high-school student struggles with calculus and algebra.（多くの高校生が微分積分や代数で苦労する）

once-in-a-lifetime　形　一生に一度の

ハイフンでつないだ複合語の中に不定冠詞 a が入ることがある。「一生に一度の体験」は a once-in-a-lifetime experience、「千載一遇の好機」は a once-in-a-million opportunity、「100年に一度の豪雨」は a once-in-a-century torrential rain である。

• Residents were warned to evacuate as a once-in-a-century hurricane approached the coastal area, posing a serious threat with its powerful winds and storm surge.（100年に一度というハリケーンが海岸地域に接近し、暴風と高潮で深刻な脅威をもたらす恐れがあるため、住民は避難するよう警告された）

a- 接辞 …して、…中で

中英語（＊1100年ごろから1500年ごろの英語を指す。Middle English）では、動名詞の前に接頭辞 a- をつけて、形容詞的あるいは副詞的に「…して」とか「…中で」を表した。たとえば、go a-hunting とか Train is a-coming. のように。一般的によく使われるフレーズは Time's a-wasting. で、「時間が無駄になっている」ということ。ボブ・ディランの *The Times They Are A-Changin'*（邦題『時代は変る』）というタイトルの曲がある。今では、常套句以外では a- が省かれるのが通例となっている。

• Climate is a-changing, and we must take decisive action to protect the environment for future generations.（気候は変化しており、私たちは将来の世代のために環境を守るための断固とした行動を取らなければならない）

• The world is a-changing and we must adapt to new realities.（世の中は変わりつつあるので私たちは新しい現実に適応しなければならない）

C アルファベット3番目の文字

C-suite 名 経営幹部クラス

CEO（chief executive officer）、COO（chief operating officer）、CFO（chief financial officer）など、頭に C ＝ chief がつく経営幹部クラスの役職の人たちを C-suite と呼ぶ。こういった役職名の略語はいずれも最初が C で最後が O なので、CXO とも呼ばれる。「組織における X 分野の最高責任者」「最高 X 責任者」という意味。☞ CEO, CXO

e　アルファベット5番目の文字

email　名 電子メール、メール

「電子メール」を意味する electronic mail が英語の語彙に取り入れられたのは1975年のことであるが、その略語で大文字で始まる E-mail が使われるようになったのは1979年ごろ。やがて e-mail と表記されるようになったが、現在ではハイフンなしの email が一般的である。使用頻度が増えるとハイフンが省略される傾向にある。

　なお mail は「郵便物」全体を表す不可算名詞で mails という形は通常は使わない。email の複数形は emails とするのが一般的になってきているが、最初はこの形を嫌い、email messages などとする場合も多かった。mail が一般の郵便物だけでなく email も意味するようになってきているので、いずれは複数形として mails を使うことが一般的になるかもしれない。

---

e- で始まる語

e-book は electronic book（電子書籍）のことで、それを読むのに必要とされるのが e-reader（電子書籍リーダー）である。ほかにも e- で始まる語には、e-gift card（電子ギフトカード）、e-sports（e スポーツ）、e-commerce（e コマース、電子商取引）などがある。

　なお、e-bike や e-car、e-scooter の 場合 の e- は electric（電気）の略である。

---

f　アルファベット6番目の文字

f-word　名《婉曲》f から始まることば

　f で始まる語のことだが、特に、代表的な4字語（four-letter word）で

ある fuck のことを指す。婉曲的に f**k や f—k などと表記される
こともある。☞ four（four-letter word）, fuck

i アルファベット9番目の文字

dot the i's and cross the t's iの点を打ち、tをクロスさせる

文字を書く際に、iの点（dot）を打ち、tの横棒を引くということ。そ
こからイディオムで「一点一画もゆるがせにしない」「（契約書作成
などにおいて）細部にまで十分気を配る」という意味。

I より i を選ぶ若者

1人称単数主格の代名詞を I と大文字で表記するのは、世界
の言語の中でも英語だけと言われる。ただ、その慣習がどの
ようにして確立したかについては明確にはわかっていない。
古英語（＊1100年ごろまでの英語を指す。Old English）と中英語
（＊1100年ごろから1500年ごろの英語を指す。Middle English）
では、I はまだ ic や ich、またはそのほかの異つづりが使われ
ていたが、やがて母音の変遷により1字に縮小された。しか
し小文字単体の i だと見落とされたり、間違われやすいので、
大文字の I（majuscule I）が使われるようになった、という説
が有力なようだ。

　一般的に大文字を使わない傾向にある一部の若者世代で
は、特に textese（＊携帯メールやインターネットなどで使う略語
やスラング）において、i と小文字で表記する人もいる。自分
のことを I と大文字で表すことを不遜と感じたり、大文字に
するためにはキーを1つ余計に押さなければならないので、
それが面倒だということもあるとも言われる。

k アルファベット11番目の文字

k-word 图 k から始まることば

k から始まる語を k-word と呼ぶが、その多くがアングロ・サクソン人がもたらした古英語に由来する。knight、know、kind、king などである。

日本語から英語に入った単語も、k から始まることばが多い。たとえば kabuki、kamikaze、kimono、kanban、karaoke、karate、karoshi、katana、kawaii、kendo、koi、kombucha など。

アメリカで戦後すぐに出版された辞書には kakke が含まれていた。「脚気」はビタミン B_1 欠乏症のことで、江戸時代から昭和初期まで国民病として多くの死者を出した。しかし今では食事の多様化や栄養バランスの改善が進み、脚気の発症も極めてまれなものになっている。現在では脚気という語はほぼ死語と言っても過言ではない。海外のメディアで kakke という語を目にすることもなくなった。

現在、世界で最もよく知られている日本語は kawaii（可愛い）と言ってもいいであろう。これは日本のアニメやマンガの影響であるが、kawaii は日本のポップカルチャーを代表することばの1つとなっている。

世界の健康食品愛好家の間で人気なのは kombucha で、オーガニック食品を売る店によく置いてある。これは、昆布を乾燥させ粉末状にしたものに湯を注いで飲む本来の「昆布茶」とはまったく別のものだ。日本で1960年代から70年代にかけて流行した「紅茶キノコ」がアメリカではこう呼ばれ、ボトルに入った「健康飲料」として売られている。紅茶キノコは、紅茶に砂糖を入れ、そこに酢酸菌を加えて発酵させたものだが、加える酢酸菌がセルロースのゲル状で、その形が海藻（昆布）のように見えることから欧米では kombucha と呼ばれるようになった。

n アルファベット14番目の文字

n-word 名 《婉曲》n から始まることば

黒人（Black, African American）に対する侮蔑語の nigger や nigga のこと。婉曲的に n-word と言う。

O 間投 ああ、おお

常に大文字で書き、あとに感嘆符・ピリオド・コンマなどを付けない。oh と同じ発音だが、神に祈る時に用いられる。

- O Lord, have mercy.（おお主よ、お慈悲を）
- O Lord, forgive our sins.（おお神様、我らの罪を許したまえ）

p アルファベット16番目の文字

Mind [Watch] your p's and q's. p と q に気をつけなさい。

このイディオムに使われている p は please、q は thank you のことで、「この2つのことばを忘れないように。テーブルマナーなど言動に気をつけてきちんとしなさい」という意味に一般的には解釈されている。

- My elementary school teacher taught us to mind our p's and q's in various situations.

（私の小学校の先生は、いろいろな状況において p と q に気をつけなさいと教えてくれた）

しかし、これは印刷業界から生まれた表現であり、「活字の p と q は混同しやすいので気をつけるように」という意味だとも言われている。

p-book 名 物理的な［紙の］本

「電子書籍」の e-book（electronic book）に対して「物理的な［紙の］本」は p-book とも表記される。p は paper、physical、print、printed

などの略。p-book はメディアの記事の中などではよく目にするが、p が、「おしっこ（をする）」という意味の pee と同音なので、口に出して言うのを嫌う人もいる。☞ book（physical book）

p-word 名《婉曲》p から始まることば

p-word とは通常は pee（おしっこ）のことを婉曲的に言うのだが、コカ・コーラ（Coca-Cola）が、CG キャラクターの Max Headroom を使った1987年のテレビコマーシャルでは、"Don't say the p-word." と言っていた。この場合の p-word はペプシ（Pepsi）のことである。

Q question(s) の略

FAQ（frequently asked questions、よくある質問）や Q&A（questions and answers、質疑応答）のように、Q は question(s) の略としてよく使われる。ニューヨーク・タイムズに Philip Galanes が Social Q's というコラムを書いているが、同名の著書のサブタイトルに Quirks, Quandaries and Quagmires（気まぐれ、苦境、泥沼）という Q で始まる3つの語が使われている。また Q's は同じ発音の cues の掛詞となっているようである。social cue（社会的な合図）とは、会話などにおいて、表情、視線、身体の動きなど言語以外に発せられる合図を通じて伝えられることという意味。

文字を用いたなぞなぞ

子供たちがやるなぞなぞに、What word is pronounced the same if you take away the last four letters?（最後の4文字を取り除いても同じ発音になる語はなあに?）というのがある。答えは queue で、意味は「（順番を待つ人・車などの）列」「列をつくる」「列に並ぶ」、発音は /kjúː/ で、最後の ueue を取り除くと q が残り、発音は変わらない、ということ。イギリスで

は queue up（列に並ぶ）という句動詞が一般的だが、アメリカでは line up と言う。

似たようななぞなぞに What is it that you can take away the whole and still have some left? というのがある。文字どおりに解釈すれば「全体を取り除いても、少し残るものはなあに?」であるが、答えは The word "wholesome." つまり、wholesome（健全な、健やかな）という語から whole を取り除いても some が残るということ。

r （textese において）are

textese において r は are の意味に用いられる。たとえば、hru（How are you?）、ruok（Are you OK?）、wru2（What are you up to?）など。
☞ text（textese）

r アルファベット 18 番目の文字

three **R**'s 3つの R

❶ 学習の基本（fundamentals of learning）

reading, 'riting, 'rithmetic（読み、書き、算数）の 3 つの頭文字から。writing の最初の w は黙字、arithmetic の最初の a は /ə/ とアクセントを置かないので、「3つの R」と言われる。初等学校教育で教える基礎学科、基本的な技術の意味。respect, responsibility and resilience（敬意、責任、回復力）の意味で使われることもある。

❷ sustainability の分野における 3 つの R

資源を枯渇させない持続可能な開発のために必要なこととして、reduce（ごみの発生や資源の消費自体を減らす）、reuse（ごみにせず繰り返し使う）、recycle（ごみにせず再資源化する）の 3 つの R が重要視されている。

t アルファベット20番目の文字

to a T 完全に、ぴったりで

The new job suited me to a T.(その新しい仕事は私にぴったりだった)のように使う。to a T は1880年代終わりごろから使われているようだが、どうしてそういう意味になったのか、T が何を意味するのかは不明。比較的有力なのは、「きちんと」「正確に」という意味の to a tittle からきているという説である。tittle とは文字の上または下につける点やその他の小記号、つまり i, j などの点や â, ä, ç の (^)(¨)(꜀) などのこと。

u (textese において)you

textese において you の意味に用いられる。たとえば、bm&u (between me and you)、cul8r (see you later)、4u (for you) など。

☞ text (textese)

X アルファベット24番目の文字

Xing 名 横断歩道、横断(crossing の略)

X を「十字架」(cross)に見立てて、crossing と読む。Ped Xing は pedestrian crossing で「横断歩道」のこと。Deer Xing、Duck Xing、Moose Xing、Turtle Xing、Frog Xing は、それぞれ野生のシカやアヒル、ヘラジカ、カメ、カエルなどが道路を横切る

ことがあるので、注意するようにと交通標識に書かれる語句である。また、zebra crossing は、イギリスにおける「黒と白のしま模様の横断歩道」のこと。

Xmas 　名 クリスマス（Christmas の略）

16世紀から使われてきたとされる Christmas の略称。X はギリシャ語のアルファベットの chi /káɪ/ で、ギリシャ語で Christ（キリスト）の頭文字である。しかしこの略称は、クリスマスの商業化を連想させ、宗教的な意義を貶める（おとし）と考える人たちもいるとされる。誤解や不快感を避けるために、一般的には Christmas を使うほうが無難である。

X-treme 　形 極端な、極度の、非常に厳しい（extreme の略）

extreme は、広告文などでは X-treme や xtreme と表記することもある。extreme sports は、過激な要素のあるスポーツの総称で、クリフジャンプ、エクストリーム・アイロニング、カイトサーフィン、パラグライダー、パルクール、スカイダイビング、スノーボードなどが含まれる。日本語では「X スポーツ」と表記されることもある。extreme weather は「異常気象」のこと。

Generation **X** 　X世代

Gen X とも。一般的には1965-1980年ごろに生まれた世代のこと。この前の1946-64年ごろに生まれた世代は baby boomer あるいは単に boomer である。boom and bust（好景気と不景気）というフレーズから、Generation X は baby bust generation あるいは（baby）busters とも呼ばれる。

　X世代がもてはやされるようになったのは、カナダの作家 Douglas Coupland が1991年に *Generation X: Tales for an Accelerated Culture* という題の小説を発表してから。その後、FOX のドラマ *Melrose Place* や映画 *Reality Bites* などが、X世代の若者（Generation Xer あるいは Gen Xer）の生き方を描いた代表的なエンターテインメントとしてヒットした。

Boomers live to work, but baby busters only work to live.（ベビーブーマーは働くために生きるが、ベビーバスターは生きるために働

く〉などと言われるように、両者はよく比較される。ステレオタイプに従って表現すれば、ベビーブーマーが「仕事至上主義」で、一生懸命働いてまともに暮らしているのに対して、X世代は slackers と呼ばれることもある。人生の目的意識を失った「怠け者」「仕事をいいかげんにする人」といった意味。

y アルファベット25番目の文字
Generation Y　Y世代

Gen Y とも。Generation Y は、Generation X の次の1981-96年ごろに生まれた世代。好調な経済に支えられた力強い労働市場で育まれてきた。コンピュータなど IT に強く、デジタル思考を得意とする。Millennials（ミレニアル世代）とも呼ばれる。

-y 接辞《口》…風の、…らしい

接尾辞の -y あるいはハイフンなしの y を固有名詞につけると、口語で「…風の」「…らしい」という意味になる。New Yorky は「ニューヨークっぽい」「ニューヨークならではの」、Japanesey は「日本風な」「日本式の」、Hollywoody は「ハリウッド的な」「アメリカの映画界的な」ということ。

z アルファベット26番目の文字
Generation Z　Z世代

Gen Z とも。Generation Y のあとの世代で、1997年ごろ以降生まれの若い世代の人たち。この語は若い世代の総称として広く使われてきたが、アメリカのシンクタンクのピュー研究所（Pew Research Center）は、2010年代以降に生まれたより若い世代を Generation Alpha や Gen Alpha と呼んで区別している。alpha（α）はギリシャ語アルファベットの最初の字。

zoo!?easy

2文字語
Two-letter words

―――――――

3D から xe まで

Two is company, but three's a crowd.
「2人ならば仲よし、3人だと仲間割れ」ということわざ。2人
ならば仲よくできても、3人だと2対1に分かれてしまい、うま
くいかない傾向があるという意味。

3D   3次元（の）(three dimensions、three-dimensional の略)

3D printer　3D［3次元］プリンター

従来のプリンターのように紙などの平面（2次元）に印刷するのではなく、3次元データをもとに立体造形をする機器。こうした技術は付加製造技術（additive manufacturing technology）と呼ばれる。

as   接 …として、…のように

(as) American as apple pie　《米》(アップルパイのように) いかにもアメリカ的な ☞ pie

(as) different as night and day　夜と昼ほど違う

「月とスッポンほど違う」「天と地の相違」の意味で (as) different as の次に入るのは、ほかに chalk and [from] cheese（＊「チョークとチーズ」いずれも形は似ていて、/tʃ/ の音で頭韻を踏んでいる）、black and white、heaven and hell、oil and water など。

(as) fit as a fiddle　きわめて健康で ☞ fit

as is　現状のままで、手を加えないで

Merriam-Webster.com Dictionary には in the presently existing condition without modification（変更を加えず現在の状況のままで）という説明と bought the clock at an auction as is（オークションにおいて現状のままで時計を買った）という用例が載っている。These cars are sold as is. と主語が複数でも as is である。All sales are final. と続くと、「売られている物品に多少の欠陥があるかもしれないことを想定した、保証のない価格設定なので、あとになってから返品や苦情などは受け付けない」という意味である。中古車販売店などの取引でよく使われる。なお、These cars are sold as they are. とすると「欠陥」や「保証」などの意味合いのない「現状のまま」という意味となる。

• This used car is slightly dented, but I'll give you a big discount if you buy it as is.
(この中古車には少しへこみがあるけれど、もしそのままで買うのなら、大きく値引きするよ)

as it were　いわば、言ってみれば

何かをたとえたり、しゃれとして使うこともある。同じような意味で so to speak も使う。

• Air conditioner sales have heated up, as it were, in the hot weather.（暑い天候のために、エアコンの売れ行きはいわばヒートアップした）

• Beer sales have cooled off, as it were, due to the cold summer weather.（ビールの売れ行きは、冷夏のために冷え込んでいると言える）

as often **as** not　たいてい、しばしば

文字どおりには「しばしばとそうでないのと半々」ということだが、慣用的には「しばしば」「よく」という意味で使われる。

(**as**) smooth as silk　シルクのようになめらか ☞ silk

(**as**) snug **as** a bug in a rug　居心地よくぬくぬくと納まっている

「敷き物（rug）の中の虫（bug）のように心地よい（snug）」から「居心地よくぬくぬくと納まっている」という意味の常套句。/ʌg/ と韻を踏む語が3つ使われていて響きをよくしている。

at　前（地点・場所を示して）…に、…で

Where is the library? は「図書館はどこにありますか」ということだが、Where is the library at? とすると、よりピンポイントに図書館の場所を尋ねるニュアンスがある。at は「交差点」を表す場合にも用いるので、It's at (the corner of) High Street and Lane Avenue. などと、「2つの道路が交わる角にある」という返事が返ってくるかもしれない。

図書館のある場所は?

A: Where is the library at?

B: An educated person should not end a sentence with a preposition.

A: OK, where is the library at, stupid?

「図書館はどこですか」

「教養のある人間は文の最後に前置詞を置かないのだよ」

「オーケー、図書館はどこですか、おばかさん」

　　Where is the library at? は、道を尋ねる場合などに普通に用いられる表現だが、従来の文法によれば、前置詞を文の最後に置くのはよくないとされる。そんな指摘をしたスノッブに対して、文の最後を前置詞でなく stupid（おばかさん）と言い直したというジョーク。

AV　自動運転車（autonomous vehicle の略）

人間が運転操作を行わなくとも自動で走行できる車のこと。UGV（unmanned ground vehicle）とか、driverless car、self-driving car などとさまざまな呼び名があったが、最近では制御システムが「自律型」であることを示す autonomous vehicle（略して AV）が一般的になってきている。電気自動車は electric vehicle から EV と略される。

ax　图 まさかり

イギリス英語では axe とつづる。

get the ax　解雇される

解雇を意味する一般的なイディオムで、「首を切られる」ということ。give the ax とすると「首を切る」「解雇する」という意味になる。も

ともとは実際に斧を使った斬首刑からきている。

be 動 …である、…にいる

be around　（人と）一緒にいる、（人の）そばにいる、訪れる、続けている

I'll be around if you need me. は「必要があれば、いつでも近くにおりますから」という意味。be around のあとに時刻を入れて I'll be around at 9. と言えば、「9時にうかがいます」ということ。

• The play has been around for years.
（この芝居は何年も上演されてきた）

• My niece, born in 2020, probably will be around in the 22nd century.（2020年に生まれた私の姪は生きて22世紀を迎えるだろう）

be behind　後れを取っている、遅れている

be behind the times は「時代遅れで」「流行遅れで」ということ。

be bored out of one's skull　退屈でたまらない

skullは「頭蓋骨」の意味。このフレーズは、skull の代わりに mind や brains も使う。「いらいらするほど」「頭がおかしくなるほど」退屈だ、ということ。「死ぬほど退屈する」という意味で be bored to death とも言う。

be [get] carried away　夢中になる、われを忘れる、調子に乗りすぎる

「水に流される」というところからの比喩である。

• Don't be carried away by the guest speaker. He really knows how to captivate the audience with his talk.（ゲストスピーカーに乗せられるな。彼はトークで聴衆を魅了する術を本当に心得ている）

be drunk　（酒に）酔っている

同様の意味の形容詞としては、inebriated、intoxicated、tipsy、under the influence、loaded などがある。反意語は sober である。

be grounded　地上にいる、《口》外出禁止である

飛行機について言えば、「地上待機となっている」「離陸できない」、船

の場合は「座礁している」という意味。また、口語では「(子供などが、罰として)外出禁止になっている」ことも表現する。

be [get] married [wedded]　結婚する

「結婚する」という意味の最も一般的なフレーズだが、口語では「結婚の絆を結ぶ」という意味のイディオムの tie the knot も使う。また、「結婚の誓いと指輪を交換する」ところから exchange vows and rings とも言う。ほかに同じ意味でよく使われる表現としては、get hitched、get spliced、walk down the aisle などがある。また、be married [wedded] は「固執する」という意味でも用いられる。たとえば、自分の意見に固執せずに柔軟な思考を表明する場合に、I'm not married [wedded] to the idea. I can be flexible.(この考えに固執しているわけではない。柔軟に対応できる)などのように言う。

Be my guest.　どうぞ。

「私の客になってください」から成句として、「どうぞご自由に」「ご遠慮なく」「お好きなように」という意味。May I use your bicycle?(自転車をお借りしてもいいですか?)などと尋ねられた時の答え。Feel free to use it. / Help yourself. / Go ahead. とも言える。

be spelt properly　《英》正しくつづられている

spelt はイギリス英語で動詞の spell の過去形・過去分詞。アメリカ英語では spelled /speld, spelt/ が普通。このようにイギリス英語とアメリカ英語で過去形・過去分詞が異なるものに dream がある。アメリカ英語では dreamed /dríːmd, drémt/ なのに対して、イギリス英語では dreamt /drémt/ が一般的。なお、英語で mt で終わるのはこの単語だけである。

be there with you　あなたのそばにいる

I'll always be there with you. は「いつもあなたのそばにいる」から「心理的に支えてあげる」という意思を示す表現。似たような表現に I'll be right there. があるが、これは I'm coming.(すぐに行きま

すよ）ということ。また、I'll be right with you. は「少々お待ちくだ
さい。すぐにおうかがいしますから」という意味で、受付などで、担
当者がほかのことをしていて、お客に待ってもらう時などに使う。

BM　《婉曲》お通じ（bowel movement の略）

「腸の動き」「お通じ」「排便」という意味。have a bowel movement
で「排便する」「お通じがある」ということ。

• Constipation is usually defined as having fewer than three
bowel movements per week.（便秘とは通常、1週間に排便が3回未満
のことと定義される）

> ### 新しい運動を始めるには
>
> movement には「（社会活動などの）運動」という意味もある
> ので、こんなジョークがある。
> 　"Start a new movement."（新しい運動を始めよう）
> 　"Eat a prune."（プルーンを食べろ）
> 新しい movement を始めるには、「（排便を促す効果があると
> 言われる、スモモの一種の）プルーンを食べよう」ということ。

BO　《婉曲》体臭（body odor の略）

体臭、特に「わきが」の意。1920年代から石鹸やデオドラントの広告
に使われるようになった婉曲語。

by　❶前（単位）…によって、…単位で

by the month は「月ぎめで」ということで、subscribe by the month
or annually は「月ぎめあるいは年単位で購読する」、cheaper by the
dozen は「ダース単位なら安くなる」、get worse by the day は「日

ごとに悪くなる」ということ。

インクを樽買いするのはだれ？

Never argue with someone who buys ink by the gallon [barrel]. という決まり文句は、直訳すると「インクをガロン [樽] 単位で買う人と決して言い争そうな」だが、印刷用インクを大量に樽買いするのは新聞社であることから、「マスコミと論争をしてもこっぴどくたたかれるのがオチで、勝ち目はないので、けんかをするな」という意味で用いられる。

---

❷ 前 (乗除・寸法を表して)…を掛けて、…で割って

• Two multiplied by four equals eight. (2掛ける4は8) (＊2×4＝8、これは、Two times four is eight. とも読む)

• Ten divided by two equals five. (10割る2は5) (＊10÷2＝5)

　2-by-4 wood は「ツーバイフォー材」で、厚さが2インチ、幅が4インチのサイズの木材のこと。また two-by-four は「非常に狭い」という意味の俗語の形容詞で、two-by-four apartment [office] などと使い、「非常に狭いアパート [オフィス]」のこと。

by the numbers　厳密な規定どおりに、着実に、機械的に

第1次世界大戦から使われるようになった軍隊用語が由来とされる。

• The track-and-field team prepared for next week's national competition by the numbers, sticking to a strict training regimen and diet plan. (その陸上競技チームは、厳しいトレーニング方法と食事計画にこだわり、着実に来週の全国大会に備えた)

by word of mouth　口コミで、口づてに ☞ word

CC　名 写し、cc 動 ccする (carbon copy の略)

本来「カーボン紙による写し」のことで、そこから電子メールでは「同

文の写し」を意味する。carbon copy あるいは carbon-copy とハイフンを入れて「同文を送信する」という意味の動詞としても用いる。cc を動詞として使う場合、その過去形は cc'd とするのが一般的。カーボン紙とは、手書き文字の複写を行うために紙と紙の間に挟んで用いる、主に黒または青色の紙のこと。コピー機がまだ普及する前の時代、事務作業に用いられた。

• The notice about the upcoming office outing was sent to the entire team and those who couldn't participate were cc'd for information.（今度の社員旅行についてのお知らせは、チーム全体に送られ、参加できない人には情報提供のために cc された）

CV　履歴書、身上書（curriculum vitae の略）

主にイギリスの言い方である。アメリカやカナダでは biographical background（略して bio）やフランス語由来の résumé が一般的。日本語では「レジメ」あるいは「レジュメ」を「講演などの内容を簡潔にまとめて参加者に配布するもの」の意で使うが、英語では abstract や summary が一般的。

do　動 する

do と名詞の組み合わせで「…をする」を意味する表現は数多くある。do the laundry は「洗濯をする」、do the dishes は「皿洗いをする」、do the sights of New York は「ニューヨーク見物をする」、そして do time は「服役する」ということ。

　また do には口語で「だます」という意味があり、I've been done. は「だまされた」「一杯食わされた」ということ。

Do as I say, not as I **do**.　私のやっていることはまねしなくていいから、私の言うとおりにしなさい。

たとえば喫煙者の父親が、子供に禁煙を勧める時などにこう言うと

される。その反対はことわざの Practice what you preach.（人に説くことは自分でも実行せよ）。

do chores （家事などの）毎日行う仕事をする

Collins COBUILD Advanced Learner's Dictionary によると、掃除、洗濯、アイロンがけなど家庭の日常の仕事（tasks such as cleaning, washing and ironing that have to be done regularly at home）の意味では通常 chores と複数形を使う。しなければならない嫌な仕事、退屈な仕事（task that you must do but that you find unpleasant or boring）の場合には単数の chore を用いる。

• One promising development is robots that can do［perform］household chores like cleaning.（将来有望な技術進歩の1つは、掃除などの家事をこなせるロボットである）

do［run］errands［an errand］ 用事を済ませる、使い走りをする

たとえば昼食で外出したついでに買い物をするとか、郵便局に寄るなどの「用事」の場合に使う表現である。他人に頼まれた用事なども含む。

do-good 形 善意あふれる、偽善的な ☞ good

do lunch 昼食をとる

「昼食をとる」の意味では eat、have、take などの動詞が一般的とされているが、do lunch という表現が流行し始めたのは1980年代のことで、ハリウッドが発祥の地とされている。ランチを食べながらビジネスについて話し合ったり、業界の人たちとネットワークを作ったりするカジュアルなミーティングを意味するものだった。やがて、この表現はハリウッドの枠を超えて広まり、さまざまなビジネスや社交の場で広く使われるようになった。今でもちょっとオシャレな語感がある。

do one's homework 下調べ［下準備］をする

homework は不可算名詞で複数形にはならない。「宿題をする」「予

習［復習］をする」という意味だが、口語では「下調べをする」「準備をする」という意味で使う。なお、housework は洗濯や料理などの「家事」のこと。

• The speaker obviously did his homework, as he was well prepared and knew what he was talking about.（その講演者は明らかに下調べをしていて、準備万端で話の内容をしっかりと把握していた）

do the trick 《口》うまくいく、効く、(物事が) 所期の目的を達成する

• Tom's shoulder pain persisted for months until acupuncture finally did the trick.（トムの肩の痛みは何か月も続いたが、鍼治療がうまい具合に効いてやっと治った）

do's and don'ts すべきこととしてはいけないこと、注意事項、心得

do と don't の複数形だが、こういう用法ではアポストロフィを付けて使う。似たような表現としては pluses and minuses や pros and cons、upsides and downsides、advantages and disadvantages、benefits and drawbacks、positive and negative aspects などがある。日本語では「メリットとデメリット」とも言うが、英語としてはあまり使わないので注意が必要。

• The employee handbook clearly outlines the do's and don'ts of office conduct.（従業員ハンドブックには、オフィスでの行動の注意事項が明確に記載されている）

Just **Do** It （スポーツ用品メーカーの Nike の有名な広告スローガン）

おそらく世界で最もよく知られているスローガンの1つ。1988年から同ブランドの広告に掲載されているこのフレーズは、「やるっきゃない」「とにかくやれ」「頭で考えているだけではなく、実際にやってみよう」といった意味。

Will you **do** me a favor? お願いがあるのですが (聞いてくれますか)

do someone a favor は「(人のために) 尽くす」「(人に) 恩恵を施す」という意味。

'em   代 彼らに、彼らを（themの省略形）

'em は話しことばにおいて、them の短縮形として強勢のないとこ
ろに用いる。不特定な物や人に関して使うもので、たとえば You
can't［Can't］win 'em all. は「すべての試合に勝つことはできな
い」「すべてにおいて成功するわけがない」「すべてが手に入るわけ
ではない」といった意味で、事がうまく運ばなかった人、望んだ結果
を得られなかった人に対する慰めのことばとしてしばしば用いられ
る表現。

• I know you're disappointed to have lost the competitive
presentation, but you can't win 'em all. (競合プレゼンで負けてがっ
かりしているのはわかるが、すべてに勝つことはできない)

プレゼンの3原則

プレゼンテーションの3つの原則と言えば、Tell 'em what
you're gonna tell 'em. Tell 'em. Tell 'em what you've told
'em. (何を言うかを言え。言え。何を言ったかを言え)である。た
とえ短いプレゼンテーションでも、最初に言いたいことの主
旨をはっきりさせる。それからそれを言う。そして最後にサ
マリーとして何を言ったかをもう一度繰り返す、ということ。
そうすれば聴衆の記憶に残るようなプレゼンテーションが
できるとされる。

---

go   動 行く、進む

as time goes on   時がたつにつれて

• Robin will get settled into her new job as time goes on. (ロビン
は時がたてば新しい仕事に腰を落ち着けることだろう)

go back to square one　出発点に戻る、振り出しに戻る ☞ back

go belly-up　《口》倒産する、失敗する

文字どおりには「腹を上に向ける」で、魚が死んで水に浮かんでいる様子からの発想。アメリカの口語では go bust や go south もほぼ同じ意味で使う。go bankrupt が普通の言い方。☞ go（go［head］south）

go by the book　型どおりにやる、規則どおりにやる ☞ book

go down the drain　（努力や投資が）無駄になる、水泡に帰す

drain は「下水溝」「排水管」のことで、比喩的に「（努力や投資が）無駄になる」「水泡に帰す」という意味で使われる。drain の代わりに tube（地下の排水管）を使うこともある。go up in smoke も同じような意味。

• Total dedication by the team went down the drain when the project was canceled at the last minute.

（チームの全面的な献身ぶりは、そのプロジェクトがギリギリでキャンセルされたために水の泡になった）

• Sales of electric fans have gone down the drain.（扇風機の売り上げが地に落ちた）

go for　…を選ぶ、…にする

go for は「…を選ぶ」「…にする」などいろいろな意味で用いられる。たとえば、go for a run は「ランニングに行く」で、That goes for me too. は「私も同じ意見である」、go for the doctor は「医者を呼びに行く」、IGO4U（＝I go for you）は「私はあなたが好き」ということ。オフィスの中で Go for coffee.（コーヒーを持ってきて）、Go for the mail.（郵便物を取ってきて）などと指示を受ける人、つまり「雑用係」のことは、アメリカの俗語で gofer（< go for）と呼ぶ。

go for it　《口》思い切ってやってみる、断固として目的を追求する

口語で「思い切ってやってみる」「断固として目的を追求する」とい

う意味のフレーズ。命令形の Go for it. は励ましのことば（expression of encouragement）。

• Why didn't you go for it? （なぜ思い切ってやってみなかったのか）

go-getter 　图すご腕、辣腕家、やり手

通常は「進取の気性に富んだ人」（an enterprising person）といういい意味で使われる。アメリカの口語で、Go get 'em!（やってこい！　やっつけてこい！）からの1910年代の造語とされる。'em は them の省略された形である。

go out of date 　廃れる、時代遅れになる ☞ date

go overboard 　度を過ごす

overboard は「船外に」という副詞で、文字どおりの意味は「船から（水中に）落ちる」ということだが、そこから転じて、「度を過ごす」「行きすぎる」という意味のイディオムとして使われる。

• Exercise is important, but don't go overboard and hurt yourself. （運動は大切だが、度を過ごして怪我をすることがないように）

go [head] south 　《米》《口》景気が下向く、企画などが失敗する、破産する

「北」「南」は羅針盤上での「上」「下」を表し、上はよいこと、下は悪いことという考え方からきている。もともとはスー族（Sioux）など一部のアメリカ先住民（Native Americans, Indigenous peoples）が「死者の魂は南に向かう」（the soul departing the body "would go southward"）と考えていたところから、go south が die（死ぬ）や deteriorate（悪くなる）という意味で使われるようになったとも言われる。

• Retail sales nationwide have been heading south lately. （全国の小売販売は、最近落ち込んでいる）

• The negotiations between the two companies were initially promising, but they quickly went south due to disagreements over pricing. （両社間の交渉は最初は有望だったが、価格設定に関する意見の不一致からすぐに暗礁に乗り上げた）

　金融や株式などの世界では go［head］north も「（売り上げや景気などが）上向く」「好転する」という意味で使う。ちなみに、north of は「超」「以上」ということで、north of $20 million は「2,000万ドル以上」ということ。

• The stock prices are expected to go north. （株価は上昇が見込まれている）

go through the motions　（意味、目的もなく）習慣的に行う、形だけ…する

　このフレーズは、ある行動や仕事を惰性で（out of habit）、あるいは純粋な興味や熱意を持たずに（without genuine interest or enthusiasm）行っている状況を表すのにしばしば使われる。

• Tim had lost interest in his current job and was only going through the motions, feeling sympathetic toward "quiet quitters." （ティムは現在の仕事に興味を失っていて、ただ形式的に動いているだけで、「静かな退職者」に同情を感じている）（＊quiet quitter（静かな退職者）とは、任された仕事以上のことはせず、仕事に生きがいを求めない働き方をする人のこと）

go-to　形 主力の、頼りになる

　go-to guy は「（組織の中において）頼りになる［最適な］人」「（チームを引っ張る）主力選手」などを指す。物について使うと「最もよく使う」「頼りにできる」ということで、go-to date は「定番の［好きな相手との］デート」、my go-to solution for stress は「ストレスに対する私のいつもの解決策」ということ。また、go-to は名詞として「頼りになる人［もの］」という意味でも使う。

• Whenever there's a problem with the computer, Ken is our go-to for tech support. （コンピュータに問題があった場合、ケンは技術サポートとして頼りになる人物だ）

go to the dogs　《口》悪くなる、だめになる ☞ dog

go to waste　廃棄される、無駄になる、使わずに捨てられる

• Make sure to use your reward points by the deadline, or they'll go to waste.（特典ポイントは期限までに必ず使うようにしなよ。使わないと無駄になってしまうよ）

Go west, young man!　若者よ、西部へ行け！

19世紀のアメリカ西部開拓時代の標語。今は、太平洋を越えて「アジアへ」という意味で使われることもある。

go with the flow　流れに身を任せる、波風を立てない　☞ flow

make a **go** of something　（事業など）を成功させる、…でうまくいく

• Chuck decided to move to Boston and start fresh, hoping to make a go of his dream of opening a restaurant.（チャックはボストンに引っ越して新たなスタートを切ることを決め、レストランを開くという夢を実現しようとしている）

no-go　形 立ち入り禁止の、準備ができていない、うまくいっていない

no-go area は「立ち入り禁止区域」から「タブーである［議論してはいけない］話題」のこと。make a go/no-go decision は「決行か中止かを決める」。China Is Becoming a No-Go Zone for Executives（中国はエグゼクティブにとって行ってはいけない地域になりつつある）はウォール・ストリート・ジャーナルの見出し（2023年10月6日付）。

on the **go**　《口》活動して、働きづめで

よく always や constantly などの副詞と共に使う。ハイフンの入った on-the-go は形容詞としても使う。

• Paul relishes being a global executive because working in various time zones means he's always on the go.（ポールは国際的なエグゼクティブであることを楽しんでいる。なぜならさまざまな時間帯で働けて、常に活動していられるからだ）

• With a hectic schedule, Adelle's always on-the-go, juggling professional commitments and family.（慌ただしいスケジュールの

中で、アデルは常に忙しく動き回り、職務の責任と家庭を両立させている）

The list goes on.　例を挙げればきりがない。ほかにもまだたくさんある。
「リストは続く」ということで、「ほかにもまだたくさんある」ことを
言う表現。

• Just look at all the once-stable professions that are now
obsolete: switchboard operators, typesetters, icemen, elevator
operators, telegraph operators … the list goes on. （かつては 安定
した職業であったものの、今では廃れてしまった職業を見てみよう。電話交換
手、植字工、氷屋、エレベーター係、電信技手など。例を挙げればきりがない）

• Carl has been a carpenter, a radio announcer, a teacher… the
list goes on. （カールは大工、ラジオのアナウンサー、教師をやってきた。
ほかにもまだまだある）

GP 　開業医（general practitioner の略）

practitioner は「（専門職・特殊技能を要する職業などの）開業者、プ
ロ」といった広い意味で使われる。特に医師や弁護士を指すが、広報
担当者 は public relations practitioner、ヨガ 療法士 は yoga
practitioner である。

HQ 　本社、本部、司令部（headquarters の略）

headquarters と複数形を取るが用法としては単数・複数扱い。
GHQ は general headquarters の略で「総司令部」のこと。最後の
s のない動詞の headquarter は「本部を（…に）置く」という意味で、
The global management consulting company is headquartered
in London.（その世界的な経営コンサルタント会社は、ロンドンに本社を
置いている）のように、受動態で使うのが一般的である。

• Moving corporate headquarters is always quite a hassle, but
the new location was most ideal. （本社の移転はいつもかなり大変だ

が、新本社の立地はとても理想的だった）

HR　人事部門（human resources の略）

かつて Personnel や Employee Relations などと呼ばれた企業の人事部門の一般的な名称。HRD は human resource(s) development の略で「人材開発（部門）」のこと。HR practitioner は人事担当者で、社内の人事担当者あるいは社外の人事コンサルタントを意味する。

ID　名 身分証明　動 識別する、見分ける（identification、identify の略）

名詞の identification は「身分を証明するもの」という意味で、identification card［ID card］（身分証明書）のように使う。

動詞 identify（突き止める、特定する）として使うこともある（＊特に新聞の見出しなどにおいて）。その場合の過去形、動名詞形はそれぞれ ID'd（identified）、IDing［ID'ing］（identifying）となる。

if　接 もし…ならば

if any　…がもしあるとすれば

• Austin is analyzing the budget to see what expenses, if any, can be eliminated.

（オースティンは予算を分析して、どの経費が削減できるか――もしできるとすればだが――を調べている）

if it weren't for　もし…がなければ［いなければ］

• If it weren't for your help, I wouldn't have been able to finish this report on time.（もしあなたの協力がなかったら、レポートを締め切りまでに仕上げられなかっただろう）

if it's any comfort　いくらかでも慰めになるならば、慰めになるかどうかわからないが

困難な状況などにある人に、慰めや安心感を与えるために使われる。

• If it's any comfort, I've made the same mistake before.（慰めに
なるかどうかわからないが、私も以前同じミスをしたことがある）

if not the only [first, best, worst]　唯一［最初、最善、最悪］ではな
いにしても（数少ない［はじめのものの、よいものの、悪いものの］…）

• Japan is one of the few countries, if not the only country, that
successfully built high-speed rail networks.（日本は高速鉄道網を成
功裏に建設した唯一の国ではないにしても、数少ない国の1つである）

• That was one of the worst, if not the worst, presentation I've
ever heard.（あれは、今まで聞いたプレゼンの中で、最悪ではないにして
も、最悪のものの1つだ）

if only　そうならいいのですが

「…だったらいいのに」「…していたらよかったのに」といった意味で、
ほとんど不可能な願望を表す。If only we could be like kids
again. は「子供のころに戻れたらいいのに」、If only Alex would
meet the right girl so he could finally get married. は「アレック
スはあとはよい相手さえ見つかれば、結婚できるのに」、If only I
knew. は「知ってさえいればよかったのに」ということ。

　Are you ready to get started on this project?（このプロジェクト
を始める用意ができていますか）と聞かれ、If only. と答えれば、「そう
だったらいいのですが」ということで、「用意ができていない」という
意味になり、それに続けて I have a terrible headache this morning.
（今朝はひどい頭痛がします）などと理由を述べることがある。

• If only I had studied harder, I would have passed the exam.
（もっと一生懸命勉強していれば、試験に受かったのに）

• If only we could be like kids again — young children spend
most of the night in deep sleep.
（私たちが子供のころに戻れたらいいのに――幼い子供たちは、夜間の大半
を深い眠りの中で過ごす）

If you can't stand the heat, get out of the kitchen.　火
熱に耐えられなければ、台所から出て行くべきだ。

　　アメリカ大統領のハリー・トルーマンの有名なことば。「プレッシャ
　ーに耐えられないのであれば、文句を言わずにその重圧に耐えられ
　る人間に任せるべきである」という意味。

no **ifs**, ands, or buts　　言い訳を言ってもダメ、つべこべ言わずに

　　言い訳の文句によく if や and、but が用いられることから、「言い訳
　は認めない」「例外はない」「弁解無用」という意味になる。ifs or buts
　と、ands を省略することもある。

　　• Cheating in exams will not be tolerated, no ifs, ands, or buts.
　（試験中のカンニングはいかなる状況にあっても許されない）

　　• I want no ifs or buts. You must turn in your homework by
　Monday morning.（言い訳は聞きません。宿題は月曜の朝までに提出す
　ること）

　　• Our company has a strict no-smoking policy, no ifs, ands, or
　butts.（わが社は、厳格な禁煙方針を採用していて、例外はない）（＊ここで
　は、butsではなく butts が使われていてしゃれになっている。butts とは「タ
　バコの吸い殻」のこと）

in　前 …の中に　副 中で　形 流行の

Count me **in**.　私も仲間に入れてください。

　　count someone in で、「(人) を仲間に迎える [仲間に加える]」とい
　うこと。その反対は count someone out で、「(人) を数に入れない
　[仲間外れにする]」ということである。

　　• Are you going to the beach? Count me in!（海辺に行くの？　私も
　仲間に入れて!）

in a class of one's own　　比類がない、ずば抜けている、別格の

　　class は「部類」「種類」のことで、in a class of one's own [by

oneself] は人や動物、物について使い、「それだけで［1人で］1つの部類を構成している」というところから、「ほかに類がない」「並ぶ者がいない」という意味。unique や incomparable、あるいは without an equal、one of a kind も同様の意味で使う。

• This guy sounds like he's in a class of his own when it comes to the fine art of making excuses. (その男性は、言い訳の技術に関しては際立っているようだ)

> ### 「品」があるか、ないか
>
> class には「品」「上品さ」「エレガントさ」という意味もあり、Sandy has class. は「サンディには気品［品格］がある」、Sam has no class. は「サムには品がない」ということ。class act は口語で、「きわめて優れた［魅力的な］人［もの］」のこと。

in good [bad] shape　よい［悪い］調子で、よい［悪い］状況で
必ずしも体調に限らず、経済状態などについても使う。

in-house　形副 自社の［で］、社内の［で］、組織内の［で］
in-house expert は「社内の専門家」で、resident expert とも言う。
• We've decided to hold the year-end party in-house this year.
(わが社は今年の年末パーティーを社内で開くことに決めた)

> ### 「自社」を意味する house
>
> 複合語で使われる時の house は、「自社の」「企業グループ内の」を意味することが多い。たとえば house agency は「特定の事業会社［親会社］の広告案件を中心に請け負う広告会社」、house policy [rules] は「社内規程」のこと。
> 　「社内報」は house organ だが、organ が持つ「臓器」という意味からの連想で嫌い、house publication や house journal

を好んで使う人もいる。

in-law 　图《口》婚姻によって親戚になった人

欧米では、in-law に「招かざる客」というステレオタイプ的なイメージがある。

---

outlaw と in-law の違い

古いジョークに What's the difference between outlaws and in-laws? があって、答えは、Outlaws are wanted. (無法者は指名手配されている)、つまり In-laws are not wanted. (義理の親戚は好かれない)ということ。wanted に「指名手配の」と「好かれて」という 2 つの意味があるところから。

---

in my humble opinion 　私見によれば、私に言わせていただければ

textese (＊携帯メールやインターネットなどで使う略語やスラング)では IMHO と略す。自分の意見の正しさを確信している場合や、ユーモラスな文脈でも用いられる。一方、in my not so humble opinion は率直あるいは不遜な意見を述べる場合のフレーズで、IMNSHO と略す。ほかにも、よく使われる略語には、BTW (by the way)、IRL (in real life)、LMK (let me know)、TTYL (talk to you later)、TMI (too much information) などがある。☞ text (textese)

in no uncertain terms 　ずけずけと、はっきりと、単刀直入に

no と「否定」「反対」の意を持つ接頭辞の un- の入った、二重否定 (double negative) のイディオム。言い換えると in very specific and direct language / very clearly / in a strong and direct way / emphatically などとなる。

「現実的な」「実際的な」という意味の形容詞の no-nonsense も no と、「非」「無」などを意味する接頭辞の non を持つ nonsense との

組み合わせで二重否定のフレーズになっている。

in practice 実際には

反対は in theory で「理論的には」。

• It sounds great in theory, but will it work in practice?（理論的にはすばらしそうだが、実際にはうまくいくだろうか）

• The tax break was meant to encourage consumer spending. In practice, however, people are saving the extra money.（税制上の優遇措置は消費者支出を促進するためのものだった。しかし実際には、人々は余分なお金を貯金している）

in the true sense of the word そのことばの本当の意味において、真の意味で

• John is an English gentleman in the true sense of the word, always being kind and respectful toward others.（ジョンは真の意味でのイギリス紳士であり、常に他人に対して親切で礼儀正しい）

in thing 流行しているもの[こと]

in は口語では「はやっている」「うけている」という意味。欧米のメディアには時々、What's in / What's out といった見出しで、「最近のトレンド（current trends）」「人気のスタイル（popular styles）」「社会の変化（societal changes）」などに関する記事が載ることがある。

• According to fashion magazines, black is the in thing for the next spring season.（ファッション雑誌によれば、黒が次の春シーズンのトレンドだ）

ins and outs of …の詳細、…の一部始終

似たような表現に inside (and) out がある。「内側と外側、裏と表」ということだが、know something inside (and) out と言えば、「…について裏も表も[余すところなく、完全に]知っている」「…を知り尽くしている」ということ。

• Before you start a new job, it's important to understand the ins and outs of the company's policies and procedures, as well as its culture. (新しい仕事を始める前に、企業方針や手続き、さらには企業文化を詳細にいたるまで理解することが重要だ)

K9 [名]犬

K9 あるいは K-9 は、canine (犬) の異形同音異義語 (homophone) で、特に軍用犬 (K9 soldier) や警察犬 (police K9) の意味で使われる。また、服従訓練 (obedience training) を受けた介助犬 (service dog) や災害救助犬 (search and rescue dog)、セラピードッグ (therapy dog) なども K9 と呼ばれる。canine tooth は「犬歯」「糸切り歯」のこと。

me [代]私に、私を

me time　自分の時間

リラックスできる自分の時間のことで、*Oxford Dictionary of English* は time spent relaxing on one's own as opposed to working or doing things for others, seen as an opportunity to reduce stress or restore energy (ほかの人のために働いたり何かをしたりするのではなく、1人で過ごすリラックスした時間で、ストレスを減らす、あるいはエネルギーを回復するための機会と見なされる) と定義している。

meism　[名]自分主義

自分以外のものには目を向けないという自己中心の考え方。アメリカの1970年代の若者を中心に生まれた風潮である。ベストセラー作家の Tom Wolfe は、70年代を Me Decade と命名した。

Mr. (男性に対する敬称)…さん

Mr. Right　(結婚相手としての)理想の男性

女性に対して One day Mr. Right will come along. (いつか理想の男性にめぐり会えますよ) のように言う。Mr. の代わりに Miss Right

や Ms. Right を使って、男性に言うこともある。

Ms. （女性に対する敬称）…さん

相手が未婚か既婚かわからない時に使える「便利な」敬称。最初は1901年に提唱されたが、広く使われるようになったのは70年代初期から。ウーマンリブ（women's lib）の教祖的存在といわれる Gloria Steinem が編集長になって女性月刊誌の *Ms.* が創刊されたのが1972年、国連などで正式に採用されるようになったのは1973年である。最近は Ms. ではなく、Mrs. を使う同性婚の女性が増えたとも言われる。合法的に結婚しているということを、はっきり伝えるメッセージでもある。

Mx. （すべての人に対する敬称）…さん

Ms. に続く新しい敬称として、2015年に *Oxford English Dictionary* が Mx. を正式に収録すると発表して話題になった。発音は /míks/ である。

新しい時代の象徴としてのMx.

最近は gender-fluid [gender-neutral] あるいは nonbinary な語、つまり男か女かという二者択一的な考え方から脱却した語を求める傾向もあるなかで、Mx. はまさに新しい時代の象徴的な語である。Mx. は日本語の「さん」や「様」と同じように、相手の婚姻関係や性別にまったく無関係に、だれに対しても使うことのできる敬称である。それを「便利で非差別的」と受け取る人もいるだろうし、Mx. と呼ばれることを嫌う保守的な人もいるし、敬称そのものを嫌いフルネームだけを使う人たちもいる。アメリカでは封筒の宛先などには、敬称なしにフルネームだけを書くことも、現代では失礼ではな

くなってきている。敬称そのものが差別だ、と考える人もいるからである。

　Mx. が最初に使用された記録は1977年で、アメリカの雑誌 *Single Parent* にあるという。アメリカのメディアでは Mx. はまだあまり使われていないが、イギリスでは2013年以降、官庁や銀行での正式な書類や運転免許証やパスポートにも、この語が使われてきたそうである（＊イギリスではこうした敬称にはピリオドを使わずに、Mr / Mrs / Ms / Mx などと表記するのが普通）。

my ［代］私の

my bad　《米》《俗》私が悪かった、私のせいだ

比較的最近のアメリカの俗語で、「私がいけない」「私のミスだ」といった意味で若者がよく使う。Sorry, (it was) my bad. などと言う。

no ［副］いいえ ［形］まったく…ない ［名］ノー

アメリカの軍隊では、返答の Yes の代わりに Affirmative、No の代わりに Negative を使うことがよくある。特に空挺部隊（air cavalry）や落下傘部隊（paratroops）では、No ではなく Negative を使うことを習慣づけられるそうだ。機械の騒音の中で No! と言っても Go! と聞こえてしまう危険があるからと言われている。

no big deal　《口》たいしたことではない ☞ deal

no-brainer　［名］《米》《口》（頭を使わなくてもできる）たやすいこと

1970年代から使われるようになったくだけた表現で、「頭をあまり使わなくてもできること」「朝飯前のこと」「簡単なこと」を意味する。

•It may sound like a no-brainer, but you shouldn't exercise during the hot hours of the day.（頭をあまり使わなくてもわかること

のように聞こえるかもしれないが、日中暑い時間に運動をしてはいけない）

no disrespect to　…を軽んじるわけではない

アメリカの俗語では disrespect を短縮した dis を「侮辱する」「批判する」「無視する」の意味の動詞としても使う。日本の若者ことばで「侮辱する」「軽蔑する」という意味の「ディスる」もここからきている。with（all）due respect for は、相手に反論したり異論を述べる場合の丁寧な言い方で、「失礼ですが」「おことばですが」ということ。

no lack of　…には事欠かない

lack は名詞で「不足」「欠乏」、動詞で「（必要なものを）欠いている」「十分に持っていない」ということだが、no lack of は「たくさんある」「たっぷりある」という意味。lack の代わりに shortage も使う。

- You'll have no lack of opportunity.（あなたにチャンスは十分ある）
- Thomas has no lack of money. He's only lacking in good manners.（トマスはお金はたくさん持っている。足りないのは良識だけだ）
- There's been no shortage of stress ever since the financial crisis began.（金融危機になって以降、ストレスが減ることはまったくなかった）

no laughing matter　深刻な問題、大事なこと

It's no laughing matter.（笑い事ではない）のように用いる。同じような意味の言い方に、I'm not joking. / I'm not kidding you. などもある。「冗談ではありません」ときっぱり言いたい時には、In all seriousness, / Seriously, / To be serious, / Joking aside, などのことばから始めることもある。

no-no　名《口》してはいけないこと、許されないこと

etiquette no-no は「エチケット違反」。

- Talking loudly in a library is a definite no-no. It bothers others who are trying to concentrate.（図書館で大声で話しては絶対にいけない。ほかの人たちの集中を妨げる）

「はい、は一度だけ」

yes-yes という語はない。しかし、合意、熱意、確認などを表すために yes, yes と言うことはある。
• "Are you coming to the office party next week?" （来週のオフィスパーティーに来ますか?）
"Yes, yes, I'll be there of course."（はい、もちろん行きます）
しかし、日本語でも嫌々ながら「はい、はい」と言った場合、親などが「はい、は一度だけでいいのですよ」と言うように、英語でも同様な状況で Say "yes" only once. と言うことがある。

no-nonsense 形 現実的な、有能な
• The company has hired a no-nonsense manager from outside to cut costs, streamline operations and increase efficiency. （会社はコスト削減、業務の合理化、効率向上のために外部から有能なマネジャーを雇った）

No problem. 《口》いいですよ。
依頼に対して「はい、どうぞ」という時の表現。ほかにもインフォーマルな場合には、Sure. / Certainly. / Shoot. / Go right ahead. / Of course. などがある。相手が礼を言ったことに対して「どういたしまして」という意味で使うこともある。
• "Let me pick your brain for a minute, Kenneth." （ちょっと知恵を貸してほしいのですが、ケネス）
"No problem. What can I do to help you?" （いいですよ。どのようなことですか）

No way. だめだ。いやだ。
要求や提案などに対する、「だめだ」「いやだ」（impossible, can't be done, no）という強い拒否のことば。1968 年ごろに大学生の間のス

ラングとして使われ始めたと言われる。

• "Will you be able to finish this project by next week?"（来週までにこのプロジェクトを終わらせることができますか?）

　"No way! It's not humanly possible to finish it in such a short time span."（絶対に無理です!　こんな短い期間で終わらせることは人間の力では不可能です）

no wonder　不思議ではない、当然だ

no 以外に little や small を使うこともある。No wonder! と言えば、「どうりで!」「やっぱりね!」ということ。Will wonders never cease. は口語で「これは驚いた」「珍しいこともあるものだ」。通常の言い方は Wonders will never cease. だが、嬉しい驚きなどに対して、しばしば皮肉を込めて使う表現。

take "**no**" for an answer　「ノー」という答えを受け入れる

普通は否定文で not take "no" for an answer と使い、「嫌とは言わせない」「絶対にそうでなければだめだ（と言う）」ということ。

• I'm quite eager to have you on board and I will not take "no" for an answer.（あなたに入社していただきたいという気持ちはとても強く、ノーとは言わせません）

# of 前 …の、…に属する

You **of** all people.　よりによってあなたが。

「まさか、よりによって…が」「…ともあろう人[もの]が」と言う時の表現。Japan of all countries といえば「日本ともあろう国が」、Harvard of all universities は「よりによってハーバード大学が」と驚きや困惑を表すフレーズ。スイスがチーズの輸出より輸入のほうが多くなっていることを報じたニューヨーク・タイムズの見出しが Why Is Switzerland — of All Places — Importing So Much Cheese? となっている（2023年7月21日付）。「チーズの生産国とし

て有名なあのスイスがなぜ」ということ。

Fはいくつあるか

次の短文を読み、Fの字が何回出てきたかを10秒以内で答えなさい、という問いをコミュニケーション関連の授業などで出されることがある。

FEATURE FILMS ARE THE RESULT OF YEARS

OF SCIENTIFIC STUDY COMBINED WITH

THE EXPERIENCE OF YEARS.

一般的に約半数が6と答える。それが正解だが、次に多いのが3だ。3と答えた人は3回出てきたofを見逃している。どうしてか。ofはそれ自体にほとんど意味を持たない短い語なので、特に時間が限られている場合には読み飛ばす傾向にある。それに発音もofは /f/ ではなく /v/ だから。

OK 大丈夫、オーケー

親指と人差し指を使って表す丸は、OK sign（OK印）とも呼ばれ good luck sign（幸運の印）である。相手を祝福する際の Congratulations! の意味でも使う。OK は形容詞、副詞、間投詞、動詞、名詞としても用いるが、「承認する」という意味の動詞として使う場合は、OK'd や OK's、OK'ing などとアポストロフィをつける。OK から派生した口語としては、A-OK や okey-doke などがある。I'm OK with（…について私は構いません）は、I'm fine with よりも消極的な響きがある。

OKでなくなったOK印

なぜ OK が「大丈夫、問題ない」という意味になったのかについては諸説あるが、あるジャーナリストが、1839年にボス

トンの新聞に all correct を oll korrect と意図的に誤記し、その略語として OK が使われるようになったのが始まりという説が有力とされている。

　こんななぞなぞもある。What has no beginning and no end?（始めも終わりもないものな〜んだ）答えは A circle.（「丸[円]」だ）である。始めも終わりもない「丸」は幸運のシンボルと考えられてきた。

　親指と人差し指で「輪」を作るジェスチャーは、世界の多くの国において OK の意味を表す。親指と人差し指の形が O に、残りの3本の指が K のように見えるところから、このジェスチャーが OK を表すようになったとも言われるが、どうもこちらは後づけのように思える。

　しかし、このジェスチャーは現在ではタブーとされることもあるので注意しなければならない。その理由は、O と K の指のジェスチャーが相手からは W と P に見えるとされるからである。WP は「white power の秘密のシンボル」（clandestine symbol of white power）を意味し、白人優位主義（white supremacy）のシンボルで、人種差別や少数民族に対する「憎悪のシンボル」（symbol of hate）として使う過激主義者が現れてきたからである。ニューヨーク・タイムズは When the O.K. Sign Is No Longer O.K. という見出しの記事（2019年12月15日付）で、このことについて報じている。

on 前…の上で、…に 副（電気などが）ついて、（仕事などが）行われて
always-on 形 常にオンの、インターネットに常時接続されている
　「（電子機器や電気製品などが）常時スイッチが入っている［オンの状態の］」ということだが、近年は「（コンピュータが）インターネッ

トに常時接続している」という意味で使われる。

It's on me.　私のおごりです。

on には負担を表す「…の支払いで」「…のおごりで」の意味もある。

- "How much do I owe you?"（おいくらでしょうか?）

"It's on me."（私のおごりです）

- All drinks are on the house.（すべての飲み物は店のおごりです）

on a scale of 1 to 10　1から10の段階で

1と10のどちらが「最高」なのかがはっきりしない場合もあるので、より明確にするために with 10 being best and 1 being worst などと付け加えることもある。How do you rate our services on a scale of 1 to 10?（わが社のサービスを10段階で評価するとどの段階になりますか）はよく使われるフレーズだが、「よいとも悪いとも言えない」「中ぐらい」はどの数字になるのかはっきりしないので、on a scale of 1 to 5 を好んで使う向きもある。これだと、3が「中ぐらい」となる。

on-again, off-again　断続的な、変わりやすい

on and off で「時々」「断続的に」の意味。

- Barbara has been having this on-again, off-again side pain, so she went to the doctor.（バーバラは脇腹が断続的に痛むので、医師にかかった）

- Judy's relationship with Henry has been on-again, off-again for years, with frequent breakups and reconciliations.（ジュディーとヘンリーの関係は長年、破局と和解が頻繁に繰り返されてきた）

on the record　記録に留めること[公開、公表]を前提として

形容詞として on-the-record と用いることもある。反対は、off the record で「オフレコの」「非公開[非公式]で」ということ。

- You should remember that everything you say during the press conference will be on the record and may be quoted in the media.（記者会見におけるすべての発言は公表を前提としていて、メ

ディアに引用されるかもしれないということを覚えておくように)

on top of　❶ …に加えて

• Jerome was offered perks like profit-sharing and extended paid time off on top of a generous salary.(ジェロームはかなりの高給に加え、利益配分や長期有給休暇といった給与外給付を提示された)

❷ …をしっかり把握して、…をコントロールして、(仕事などを)うまく処理して

• I read a number of blogs every morning to stay on top of new technological developments.(私は新しい技術開発を把握するために毎朝いくつかのブログを読む)

PC　❶ personal computer の略

❷ politically correct、political correctness の略

1980年代終わりごろからアメリカで使われるようになった語。「人種、ジェンダー、性的指向」などの問題に関連して、進歩的な正統派的慣行に従った行動やことば遣いを指す。たとえば、女性や性的マイノリティの人たち、特定の人種や民族、障害のある人たちなどへの差別用語などが排除される。定訳はないが「政治的に公正な」「政治的妥当(性)」などと訳されている。

PR　広報活動(public relations の略)

アメリカPR協会(Public Relations Society of America)は public relations を次のように定義している。

Public relations is a strategic communication process that builds mutually beneficial relationships between organizations and their publics.

(パブリック・リレーションズは、組織とそのパブリックとの間に互恵的な関係を構築する戦略的コミュニケーション・プロセスである)

　ここで言う public とは「一般大衆」ではなく、株主、社員、顧客、債

権者、投資家など「企業の利害関係者」としての stakeholder のことである。

　PR という略語が一般的に使われるようになってきたのは1942年ごろから。ただ近年、PR は「欺瞞」や「ニュース操作」といった語感で使われることも多くなってきたので、広報関係者の中にはこの略語を使わず public relations と必ずスペルアウトする人もいる。

SO 　副 とても、そんなふうに 　接 それゆえに

so-called 　形 自称の、本物ではない、いわゆる

so-called victim（被害者と自称する人、いわゆる被害者）は、victim に引用符を付けて "victim" としても同じ意味合いになる。so-called に続く語句には引用符を付けないのが原則。

So far, so good. 　今のところは順調です。

Is everything OK? などと聞かれた際の常套句。そこから、I intend to live forever. So far, so good.（私は永遠に生きるつもりだ。これまでのところは順調）といったジョークがある。未来は過去の延長ではないので、これまで順調にきたからといって「永遠に生きるつもり」というのは極めて楽観的な考え方なのだが…。

so to speak 　いわば、言ってみれば

同じような意味で as it were も使う。しゃれや隠喩として使われることもしばしばある。

•Sales of refrigerators are experiencing a serious chill, so to speak.（冷蔵庫の売れ行きは、いわば深刻な冷え込みに見舞われている）（＊chill には「景気が不活発になること」と「（冷蔵庫の中などの）冷気」の両方の意味がある）

•The airlines' profits have been soaring, so to speak.（各航空会社の利益はいわば急上昇している）（＊soar には「（利益が）急上昇する」と「（飛行機が）空高く飛ぶ」の両方の意味がある）

so yesterday   あまりにも時代遅れな

It is [was] so yesterday. のように使われる。yesterday の代わりに
archaic / outdated / old-fashioned / behind the times / retro や、
1999などと言うこともある。1999 といった年自体にはあまり意味
がなく、一種の誇張法として使われている。

• Life without smartphones is so 1999.（スマートフォンのない生活
なんて、1999年に戻ったみたいだ［レトロだ］）

to   副 …へ［に］、（to 不定詞を作って）…すること

to be honest   正直に言えば

恥ずかしいことや認めたくないことを述べる時の定番のフレーズ。
しかしあまり使わないほうがいいとされている。「だとしたら、それ
以外のことはうそなのか」と思われてしまうかもしれないからであ
る。To be honest, I know nothing about Estonia.（正直に言えば、
エストニアについては何も知りません）とか I thought Victoria's
presentation was just terrible, to be honest (with you).（正直な
ところ、ビクトリアのプレゼンテーションは最悪だと思った）などと文の
最初にも最後にも使える。

　　needless to say（言うまでもなく）などと共に most-annoying clichés
（最もいらいらさせられる決まり文句）の1つとされる。

to put it mildly   控えめに言っても

「穏やかな言い方をすれば」「控えめに言えば」という意味の慣用句。
to put it simply は「簡単に［平たく］言えば」、to put it formally は
「改まって言えば」「硬いことばで言うと」ということ。

TV   テレビ（television の略）

reality **TV**   リアリティ番組

プロの俳優や司会者、タレントなどではなく一般人の生活や体験を

見せるテレビ番組のジャンル。reality show とも言う。その起源は、1948年から2014年までアメリカで放送された Candid Camera というドッキリ番組と言われる。普通名詞の candid camera は隠し撮り用の小型カメラのこと。

TV dinner　TV ディナー

電子レンジやオーブンで加熱するだけで食べられるようになっている、通常は1食分がパッケージされた冷凍食品。テレビ放送が始まって間もない1953年、冷凍食品メーカー C.A. Swanson and Sons による造語。

up　副 上に〔へ〕、立ち上がって、しっかり…して

be up to　…次第である

•It's up to Clark to repair his relationship with the client.（その顧客との関係性を修復するのは、クラーク次第だ）

•Do you want to eat Italian food or Japanese tonight? It's your birthday, so it's up to you!（今夜はイタリア料理がいい？　それとも日本料理？　あなたの誕生日なので、あなた次第だよ）

up and running　うまくいって、順調で、進行中で、（事業などを）立ち上げ稼働させて、機能させて

似たような語に up-and-coming があるが、こちらは口語で「成功しそうな」「頭がよくて勤勉な」「活動的な」といった意味。up-and-coming actor は「新進気鋭の役者」「有望な新人俳優」ということ。また、upcoming は「今度の」「来る」の意味で、an upcoming election は「来るべき〔今度の〕選挙」。

•The new bullet train line will be up and running next week.（新しい新幹線路線が来週開通の見通しである）

• After the emergency repair work, the railway system was up and running again, and soon it was business as usual for commuters.（緊急復旧作業ののち、鉄道システムは再び運行を開始し、通勤者にとってはすぐに通常の状態となった）

up in arms　かんかんに怒って　☞ arm

up-to-date　形 最先端の、ごく最近の情報を取り入れた

up-to-date よりもっと新しいという語感で up-to-the-minute や up-to-the-second も使う。

　　反対語は out-of-date。☞ date（go out of date）

ups and downs　浮き沈み

「いい時と悪い時」のことで、同じような表現に peaks and valleys がある。「山あり谷あり」でいずれも変化に富むこと。the rise and fall は「（都市・国家などの）盛衰、興亡」の意味。☞ fall（rise and fall）

• Life is full of ups and downs. Never assume you have smooth sailing.（人生には山あり谷あり。順風満帆だと思い込んではいけない）

　　単数形で up and down とする用法もある。こちらは健康状態などが「よかったり悪かったり」という意味。オンラインの『ロングマン現代英英辞典』には、if someone is up and down, they sometimes feel well or happy and sometimes do not（気分の浮き沈みが激しい人は、気分がいい時幸せな時もあれば、そうでない時もある）という定義が載っている。

What's **up**?　どうしているの？　何かあったの？

このフレーズは、親しい間柄でのくだけたあいさつのことばとして用いることが多い。返事として「別に」といった意味では、Nothing much. / Same as always. / Getting by. / Keeping cool. / Just [Barely] surviving. / So-so. / No complaints. などと言う。「とても元気ですよ」と言う場合には、Super. / Terrific. / Fantastic. などが使える。文字どおりの「何があったのか」という意味でも使う。

• What's up with Jack today? He seems so uptight. (ジャックは
きょうどうしたのだろう。とても緊張しているように見えるけれど)

WC トイレ (water closet の略)

イギリスの街角にある公衆トイレにはこう表示されているが、アメ
リカでは家の見取り図以外にはもうあまり使われなくなっている。
Longman Dictionary of English Language and Culture によれば、In
British English toilet is generally acceptable, but lavatory and
WC are also used. (イギリス英語では toilet は一般的に受け入れられて
いるが、lavatory や WC も使われる) とある。ただ toilet は、「便器」そ
のものを意味することもあるため、アメリカやカナダではあまり使
用されず、お風呂と一緒に設置されることが多いので bathroom が
一般的な婉曲語として使われる。

　アメリカにおけるトイレの総称には、restroom がある。特にデパー
トや劇場などの公共の建物にあるトイレを意味する。イギリスで
は公衆トイレを意味する正式な語としては public convenience が
ある。また俗語では loo という語をよく耳にする。

「男性用トイレ」を意味する最も一般的なアメリカ英語は men's
room である。俗語では john も使われる。女性用トイレは women's
room や ladies' room、powder room などと言う。

　飛行機のトイレはアメリカもイギリスも lavatory が一般的。

xe (ジェンダー区別のない) 3人称単数の代名詞

ze も使う。xe、ze いずれも /zíː/ と発音される。「男か女か」といった
二者択一性 (binary) から脱却した新しい代名詞で、neopronouns
とも呼ばれる。xe (主格 he / she)、xyr (所有格 his / her)、xyrs (所有代
名詞 his / hers)、xem (目的格 him / her)、xemself (再帰代名詞 himself
/ herself) のように変化させる。

3文字語

Three-letter words

———————————————

24/7 から ZOO まで

The Dictionary of Modern Basic English Words

Three strikes and you're out.

野球では「三振即アウト」ということだが、一般的な意味では、
ある違反やミスを3回犯すと、失格、解雇、厳罰など重大な
局面に直面することになるということ。

24/7
四六時中（読み方は twenty-four seven）、1日24時間／週7日（読み方は twenty-four hours a day, seven days a week）

現代を象徴する新語の1つ。20世紀後半から使われるようになった語で、最初は24時間営業の店などについて用いられていたが、現在では人やサービスなどについても使われる。

be on call 24/7（四六時中［常に］待機している）、be monitored 24/7（24時間いつでも監視されている）、be available by phone 24/7（いつでも電話で連絡がつく）などのように使う。

360
360-degree feedback　360度評価

人事考課における評価方法の1つで、multi-rater feedback とも呼ばれる。自己評価のほかに上司、他部門の管理者、同僚、部下、あるいは外部の取引先など、多様な側面から評価を行い、評価精度を上げようというもの。

• Are you familiar with the 360-degree feedback concept?（360度フィードバックの概念をわかっていますか）

9/11
アメリカ同時多発テロ（読み方は nine eleven）

2001年9月11日にアメリカで起こった同時多発テロのこと。

• In the days following the 9/11 terror attacks in Manhattan, something like half a million people donated blood.（マンハッタンでの911テロ事件のあとの数日間に、およそ50万人が献血した）

ABC
名 アルファベット、基本、イロハ
ABCs of manners　マナーの基本

「基本」の意では ABCs と通常複数形で使う。(as) easy as ABC は

「ABC のようにとてもやさしい」、(as) simple as ABC は「ABC の
ようにとても簡単な」ということ。「エチケット」「マナー」の意味の
manners も複数形。

act 動 行動する、ふるまう 名 行動、（劇の）幕

Act [Be] your age. 年を考えなさい。自分の年齢より幼稚な行動をしな
いように。☞ age

get one's act together 行動に一貫性を持たせる、きちんとする

「きちんとする」「態勢を整える」（to become better organized）といっ
た意味のイディオム。

second act 次の行動

演劇用語としては「第2幕」のことだが、一般的には「第二の人生」
「セカンドライフ」を意味し、主に退職したあとの新しい人生のこと。
キャリア上で大きく舵取りをして新しい仕事の分野に踏み込むこと
もこう呼ぶ。

add 動 加える

add value 有用性を高める、付加価値をつける

value added は「付加価値」のことで、tax on value added あるいは
value-added tax（略して VAT）は「付加価値税」。動詞の value には
「高く評価する」「重んじる」という意味がある。

ado 名《古語》から騒ぎ、面倒

Much Ado About Nothing は『から騒ぎ』で、シェークスピア作の喜劇
のタイトル。

without further ado 余計なことはこれくらいにして、さっさと
話の前置きに使われる表現。

age 图 年齢、年月

Act [Be] your **age**. 年を考えなさい。自分の年齢より幼稚な行動をしないように。

言動が年相応でない人を批判する言い方。

• Few women admit their age; fewer men act it. (自分の年齢を認める女性は少ない。年相応に振る舞う男性はもっと少ない)

Age before beauty. 美［女性］よりも老い［高齢者］が先。

エレベーターや建物の入口などで年配者に「お先にどうぞ」と言う時の表現。ふざけたり皮肉に用いたりする場合もある。

Age does not always bring wisdom. Sometimes **age** comes alone. 加齢は必ずしも知恵をもたらさない。ただ年をとるだけのこともある。

Age brings wisdom. は、「(年を重ねるにつれ)齢は知恵を授ける」という意味のことわざだが、知恵が伴わずに加齢だけすることもあるということ。Wisdom comes with age. Death also comes with age. Therefore, wisdom is dangerous. (知恵は加齢と共にやって来る。死も加齢と共にやって来る。したがって知恵は危険である) というのはおふざけ。

age in place 住み慣れた土地で人生を全うする［老後の生活を送る］

アメリカ疾病予防管理センター（CDC）は age in place を「年齢、収入、能力レベルに関係なく地域社会にある自分の家で安全に、独立して、気楽に生活できること」(the ability to live in one's own home and community safely, independently and comfortably, regardless of age, income or ability level) と定義している。

• Most people wish to spend their autumn years close to home. Some 90% of Americans 65 or older expect to age in place. (たいていの人は、家の近くで晩年を過ごすことを願っている。65歳以上の

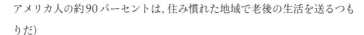

アメリカ人の約90パーセントは、住み慣れた地域で老後の生活を送るつもりだ）

ageism   图 年齢による差別

具体的には中年および老人に対する偏見（prejudice against middle-aged and elderly people）を意味する。特に雇用に関連して使われることが多いようだ。ageist は「老人に偏見をもった（人）」「老人を差別する（人）」という意味の形容詞、名詞。ワシントンの Dr. Robert Butler という老人病専門医（geriatrician）による 1969 年の造語で、sexism（性差別）、racism（人種差別）などからの類推で、age に接尾辞の -ism をつけたもの。

ages ago   何年も前に

誇張表現で a long time ago のこと。ages と複数形で用いる。in [for] ages は「久しぶりに」ということ。

• It's been ages since I saw you last.（本当にお久しぶりですね）

• Jerry hasn't gone camping in ages, not since he was a little boy.（ジェリーは、かなり長い間キャンプに行っていない。幼いころ以来だ）

• Where have you been hiding? I haven't seen you for ages.（どこに隠れていたのですか。ずいぶん長いこと会っていませんね）

middle **age**   中年

日本語の「中年」とは何歳くらいを指すのだろうか。『広辞苑』には、「青年と老年との中間の年頃。四〇歳前後の頃」とある。しかし英語の概念としては一般的にもう少し広く解釈されるようで、英米で発行されているほとんどの辞書には、「若者と老年者の間の時期」とか「およそ40歳から60歳の間」などといった記述が見られる。ところが *Random House Dictionary* では、the years between 45 and 65 or thereabout と、65 歳まで「中年」の仲間に入れている。これだけ平均余命が伸びている現代であるから、やがては70歳くらいまで中年と呼ばれるようになるかもしれない。

Middle age is when your age starts to show your middle. (中年とは、ウエスト (one's middle) が目立つようになる時期) こう言ったのはコメディアンの Bob Hope である。

aid 名 助け、援助

first **aid**　応急手当、救急処置

Merriam-Webster.com Dictionary によると、「病気や怪我をした人に本格的な治療が施されるまでの間に行う、応急の処置や治療」(emergency care or treatment given to an ill or injured person before regular medical aid can be obtained) のこと。人工呼吸や心臓マッサージなどが含まれる。飛行場や鉄道の駅などには救護所 (First Aid Station) があり、救急箱 (first-aid kit) が置いてある。

• After the traffic accident, Imelda immediately administered first aid to the injured person while waiting for the ambulance to arrive. (交通事故のあと、救急車が到着するのを待つ間、イメルダは直ちに怪我人に応急処置を施した)

air 名 空気、空 動 外気にさらす

air dirty laundry in public　内輪の恥をさらす［外に出す］

laundry は「洗濯物」。そこから dirty laundry は「外聞の悪いこと」「内輪の恥」を意味し、批判的な文脈で使うことが多い。動詞は、アメリカでは air または do を使うが、イギリスでは wash を使うのが一般的とされている。laundry の代わりに linen (肌着類、下着類) も用いられることもある。

air marshal　《英》空軍中将、《米》連邦航空保安官

イギリスでは、「空軍中将」を意味するが、アメリカではハイジャック防止のために民間の航空機に銃を携帯し通常私服で乗り組む連邦航空保安官のこと。sky marshal とも呼ぶ。

a.k.a. …としても知られている、別名…（also known as の略）

ニックネームや芸名、本名などに関連して使うことがある。たとえば、Norma Jeane Mortenson, a.k.a. Marilyn Monroe とか Louis Armstrong, a.k.a. Satchmo のように。もともとは警察用語。別名の意味では alias や pseudonym も使う。

all 形 すべての 副 まったく

all-American 形 全米代表の、とてもアメリカ的な

もともとフットボールの全米最優秀選手を意味することばで、各種スポーツの全米一の優秀選手、チームの形容詞として使われる。もう1つの意味は、「アメリカあるいはその理想を代表、象徴する」（representative or typical of the U.S. or its ideals — *Merriam-Webster.com Dictionary*）で、同辞書には all-American boy、all-American optimism といった例も出ている。

イギリスで発行された *Longman Dictionary of English Language and Culture* には次のような解説が載っている。Most British people have an idea of the all-American man or woman as being young, attractive, healthy, and rich, and very keen to be successful, but also insincere, and not very clever. つまり、イギリス人から見たアメリカ人とは、「若く、魅力的で、健康で、裕福で、成功志向が強いが、不誠実であまり利口でない」ということ。

（as）American as apple pie という表現があるが、「アップルパイ」はアメリカ的な価値観の象徴である。☞ pie（（as）American as apple pie）

all too often 往々にして、必ずと言っていいほど、何度も

all too には「あまりにも、非常に、…すぎる」というやや否定的な意味合いがある。know all too well は「十分すぎるほど［わかりすぎ

るほど] わかっている」と、相手の気持ちや発言に同情する時などにも使う。

- All too often, one lie leads to another and yet another. (多くの場合、1つのうそが次々とうそを生む)

be all for　…に大賛成である、…を全面的に支持する

- Henry said he's all for a four-day workweek. (ヘンリーは、週4日勤務制に大賛成だと言った)

give it one's all　全力を尽くす、全力投球する ☞ give

A-OK 　形 副《口》申し分のない[なく]、完璧な[に]

OK から派生した口語で、「完璧な[に]」(in perfect condition) の意。All (systems) OK の略で、1961年ごろから NASA の宇宙飛行士や宇宙管制センターの職員などが使い始めたとされる。

app 　名 アプリケーション (application program の短縮形)

日本語では「アプリ」と略すが、英語では app とし、コンピュータのアプリケーション・プログラムやスマートフォン用のソフトウェアを意味する。

arm 　名 腕、(複数で) 兵器、武器

基本の意味は「腕」だが、arms と複数形にすると「兵器」「武器」「戦争」「闘争」なども意味する。

arms race　軍備拡大競争

arms race は国家間での軍備の拡大をめぐる競争を意味する。かつては核兵器開発競争 (nuclear arms race)、近年では、軍事転用が可能な半導体などの技術をめぐる開発競争 (technological arms race) や、AI の開発競争 (artificial intelligence arms race) などが話題になっている。

right to bear **arms**　武器を所持［携帯］する権利

1791年に可決されたアメリカ合衆国憲法修正第2条（The Second Amendment）は次のように、個人が銃を保持する権利を認めている。

A well regulated Militia, being necessary to the security of a free State, the right of the people to keep and bear Arms, shall not be infringed.

（規律ある民兵は、自由な国家の安全にとって必要であるから、人民が武器を保有しまた携帯する権利は、これを侵してはならない）

何をする権利？

Wear short sleeves! Support your right to bare arms.
（半袖を着よう！　腕を露出する権利を支持しよう）

　bare は「裸にする」「露出させる」という意味の動詞だが、ここでは同音異語の bear「携帯する」にかけて、同じ発音で「両腕を露出する」というおふざけとなっている。

---

up in **arms**　かんかんに怒って

複数形の arms は「武器」のことだが、arm に「腕」という意味があるところからの連想で、両手を振りかざして「憤激して」「かんかんに怒って」という意味に使われるようになったもの。

• Employees were up in arms when the management suddenly announced a salary moratorium.（従業員たちは、経営陣が昇給の一時停止を突然発表したことに激怒した）

art　名 美術、芸術、技術

state-of-the-**art**　形 最新式の、最先端の

1910年代から使われるようになった語。*New Words: A Dictionary of Neologisms since 1960* には次のような解説が載っている。originally the description of a current level of scientific or technological advance; now simply a merchandiser's synonym for 'latest'. つまり「もともとは state-of-the-art technology のように先端技術などを形容する語だったものの、現在ではただ「新しい」「最新の」という意味に広く使われている」ということだ。

ash 名灰

ashes to **ashes**, dust to dust　　灰は灰に、塵は塵に

埋葬の時に使われることば。人は神が土からお作りになったので、死ぬと塵にすぎず、土に還る、ということ。ashes とは「遺灰」「遺骨」のことで、複数形で用いる。また、remains も「遺体」「遺骨」の意味では複数形にする。

> ### ベッドで喫煙をすると
>
> Don't smoke in bed. The ashes that fall may be your own. （ベッドでの喫煙は禁止。下に落ちる灰はあなた自身のものかもしれない）

ATM　　現金自動預払機（automated［automatic］teller machine の略）

teller machine や cash machine とも呼ばれる。ATM machine と使われることもあるが、それでは machine がダブることになる。しかし ATM で表される略語は100以上あるとされ、ATM だけでは誤解を生じさせる可能性もある。日本語の「大橋」「金閣寺」「荒川」の英語表記も O Bridge、Kinkaku Temple、Ara River ではあまりしっくりこないので、Ohashi Bridge、Kinkakuji Temple、Arakawa River などと、ダブった表記も許容される傾向があり、ATM machine も必ずしも間違いとは言えない。同様に PIN も personal identification number (暗証番号) の 略 なのだが、PIN number や PIN code と使われることもある。

B2B <small>business-to-business の略</small>

B to B とも書く。メーカーと卸売業者の間、または卸売業者と小売業者の間など、企業間での商取引のこと。

B2C <small>business-to-consumer の略</small>

B to C とも書く。企業と消費者の間の取引のこと。

bad <small>形 悪い</small>

get bad press　マスコミで悪評を受ける[たたかれる]

press はもともと「印刷機」(printing press) のことだが、一般的には新聞、雑誌のみならずテレビやラジオなどの電子媒体 (electronic media) も入る。

my bad　《米》《俗》私が悪かった、私のせいだ ☞ my

bag <small>名 かばん、袋</small>

brown bag　茶色の袋、持参弁当

brown bag「茶色の袋」というのは、アメリカのスーパーマーケットに行くともらえる、丈夫な紙袋のこと。その中に、昼食 (＊通例は家庭で作ったサンドイッチなど) を入れて職場に持って行くことが多いため、アメリカ英語では「持参弁当」を意味する。

　そうした紙袋を持って行く人は brown bagger と呼ばれる。倹約のため、職場での昼食に社員食堂やレストランに行かずに、自家製のランチを職場に持って行く人のこと (A person who does not go to the cafeteria or to a restaurant for lunch at work, but who brings his homemade lunch to work in order to save money.— *A Dictionary of*

American Idioms)。アメリカには「愛妻弁当」といった概念はあまりなく、弁当を持参するという行為は「節約」「倹約」に主眼が置かれているようだ。

　自分の飲む酒を、酒類販売の免許のないレストランなどに持ち込む場合も brown-bag を動詞として使う。「弁当を持参する」という意味では brown-bag it とするのが普通。

• It's all too common for busy executives to have what's called a "sad desk lunch." Instead of taking a break for an hour or so over lunch, they brown-bag it at their desk. They wolf down their food, and before you know it, they're back in full work mode. (忙しいエグゼクティブは、いわゆる「寂しい自席ランチ」をとることが普通になっている。1時間ほどかけてランチを食べ仕事を離れて休憩するのではなく、ランチを職場の自分の席に持ち込む。食べ物をかき込むと、あっという間に完全な仕事モードに戻っているのだ)

doggy bag　ドギーバッグ ☞ dog

ban　名 禁止

• The prospect of a nationwide ban on handguns is a long way off. (拳銃の全国的な禁止は、当分の間期待できそうにない)

bar　名 バー

singles bar　シングルズバー、独身男女がデートの相手を求めて集まるバー

singles は「独身者用の」という意味のアメリカ英語の俗語の形容詞。singles party も独身男女の出会いを目的とするパーティー、singles tour はそうした目的の旅行のこと。

bcc　名 bcc 動 bcc する (blind carbon copy の略)

郵便物を送付する際に、本来の受取人に知らせずにその写しを第三

者に送付すること。メール（email）の送付にあたっては、受信人には
知らせずにほかのメールアドレスにもメールを送信することを意味
する。☞ CC

bed 名 ベッド、寝床

early to **bed**, early to rise   早寝早起き

ベンジャミン・フランクリンのことばで、ことわざとなっている Early
to bed and early to rise makes a man healthy, wealthy and
wise.（早寝早起きが健康と富と知恵をもたらす）から。

get up on the wrong side of the **bed**   機嫌が悪い

特別な理由もなく怒りっぽくなっている時の言い訳などに使うこと
もある。これは、ベッドに入るのは右側から、ベッドから起きてその
日を始める時も右側からがいいとされる迷信に由来している。ロー
マ時代からある古い迷信によれば、右は「善」、左は「悪」で、「左足か
ら先に靴を履いたり、左足から先に家に入ったりするのは縁起が悪
い」とされてきた。

bee 名 ミツバチ

make a **bee**line for   …へ一直線に行く

beeline は「（ミツバチが花粉を得て巣へ帰る時の）最短距離を結ぶ
一直線」のこと。そこから、make a beeline for は「（躊躇せず、急ぎ
足で）…へ最短コースを行く」という意味のイディオムとして使われ
る。カラスも一直線に飛ぶと考えられていて、as the crow flies は
「直線距離で」という意味。

BFF 親友（best friends forever の略）

通常は BFF だけで複数形の名詞として使うことが多いようだが、
BFFs という形を目にすることもある。主にネット用語。

big 形 大きな、偉大な

Big Apple　ニューヨーク市のニックネーム

1920年代から用いられている。命名の由来については、ハーレムにあった同名のジャズクラブの名前からとかいろいろな説があるようだ。ニューヨーク市はまた Gotham とも呼ばれるが、こちらは19世紀前半の作家 Washington Irving が与えたニックネームと言われる。☞ city

Big Five-Oh　記念すべき50歳、50歳の大台

日本では60年で生まれた年の干支に還るところから、60歳の「還暦」を祝うが、西洋では半世紀となる50歳が大きな節目の歳とされ、Big Five-Oh と呼ばれる。

big-name　形《口》有名な、大物の

big-name doctor は「著名な医師」のこと。big- で始まる同じような意味の口語の複合語に big-time がある。「大物の」「一流の」「ぜいたくな」といった意味で、big-time spender は「金に糸目をつけない人」のこと。反対は small-time で「三流どころの」「安っぽい」。ほかにも big-ticket item は「高価な物」「高額商品」、big-league はある分野について「最高の」「トップレベルの」、big-city は「大都会の生活に典型的な」ということ。

bog 名 沼地 動 沼にはまる

be **bogged** down　厄介な問題などにひっかかっている

動詞の「沼にはまる」の意味から、比喩的に「めんどうな状況にある」「厄介な問題に引っかかっている」の意味でも用いられる。

• The labor-management negotiations were bogged down by disagreements over the bonus.（労使交渉はボーナスに関する意見の相違で行き詰まった）

box   73

bow 動 お辞儀をする

bow out　お辞儀をして退場する、《婉曲》死ぬ

「死ぬ」を意味する婉曲語法の1つ。フォーマルな響きのある語には、decease、succumb、expire、perish、depart などがあるが、一般的には、pass away、take one's last breath、take one's last sleep などのフレーズを使う。☞ pass（pass away）

box 名 箱

box-lunch　名 弁当

「弁当」のことだが、bento や obento も最近は日本語からの外来語として使われるようになってきた。*The American Heritage Dictionary of the English Language* には、bentoの項目に A Japanese box lunch, traditionally packed in a partitioned lacquered box and sometimes artfully arranged to resemble familiar characters, animals, or objects.（伝統的には仕切りのある漆塗りの箱に詰められ、時に親しみのあるキャラクターや動物やものを模してきれいにレイアウトされることもある、日本の箱入り昼食）という定義が載っている。

open a Pandora's **box**　パンドラの箱を開ける、（意図せずに）多くの災難を招く

ギリシア神話からきた表現で、「予期できない大きな困難や問題を招く」行為のことをいう。Pandora's box の代わりに can of worms も使う。

think outside the **box**　既成概念にとらわれないで考える

「箱の外で考える」ということだが、ここでの box は「従来の型にはまった［常識的な、伝統的な］考え方」を表している。そうした束縛を解き放って「これまでにないようなクリエイティブな考え方をする」という意味である。

boy　名 男の子　間投 いやはや

boy は主に18歳未満の少年を意味する普通の名詞だが、かつては年齢に関係なく、白人が黒人男性に呼びかける際の見下した呼び名であった。そのため、黒人男性に対しては、年齢に関係なく注意しなければならないとされている。*The Associated Press Stylebook* では、黒人男性について使う場合はできれば年齢を明記するか、あるいは youth、child、teen などを使うのがよいとしている。

それとは別に、アメリカ口語で「いやはや」「やれやれ」「すごい」といった驚きや落胆などを表す間投詞としても使われる。Oh, boy! とか Attaboy!（= That's the boy!）などとも言う。

Boys will be **boys**.　男の子はやっぱり男の子。

「男の子はやっぱり男の子。いくつになっても変わらない」「男の子は（やんちゃであっても）仕方がない」「男の子とはそういうものだ」という意味の決まり文句。

bug

❶ 名 昆虫、虫

bug はコンピュータプログラムや機械などの「欠陥」や「故障」の意味でも広く使われる。日本語では「バグ」は、主にソフトウェアの不具合を意味する。bug を取り除くことを debug と言う。

❷ 動 《口》いらいらさせる、悩ませる

主にアメリカ英語で使われている「人を困らせる、悩ます」といった意味の動詞。

• The loud noise from the subway construction site bugs me, making it difficult for me to concentrate.（地下鉄の工事現場から聞こえる大きな音で、集中できずに困っている）

buy 動 買う、(ありそうにないことを)信じる、真に受ける

buy something on impulse …を衝動買いする

impulse は「衝撃」「衝動」の意で、buy something on impulse は「…を衝動買いする」ということ。「衝動買い」は impulse buying と言う。

I don't **buy** that. それは信じられない。そうは思えない。

ここでの buy は「相手の言うこと [説明、意見] を信じる [真に受ける、納得する]」という意味。I don't accept [believe] that. とも言う。

Money can't **buy** everything. お金ですべてが買える [手に入る] わけではない。

Money isn't everything. はことわざで、「お金がすべてではない」ということ。また、Money can't buy happiness. は「お金で(品物を買うことはできても)幸せは買えない」ということ。happiness を friends や love に入れ替えて言うこともある。

can 助動 …できる

可能を表す最も一般的な助動詞。

can-do 形《口》やる気のある、意欲満々の、積極的な

Longman Register of New Words には、can-do の定義として、「チャレンジを引き受ける意志があり、それを達成する自信のある。積極的な」(willing to accept challenges and confident of meeting them; positive) とある。もともとは質問や依頼などに対する肯定的な返事の Can do. (= I can do it.) からきているが、その反対は、わざと非文法的な No can do. を使う。

If you **can't** stand the heat, get out of the kitchen. 火熱に耐えられなければ、台所から出て行くべきだ。☞ if

You **can** say that again.　まったくそのとおりです。☞ say

can　名缶　動《口》クビにする

「クビにする」「解雇する」という意味の表現は多数あるが、その中でも can は、口語で一般的に用いられるものの1つ。☞ slip（pink-slip）

cat　名猫

copycat　動まねをする　名まねをする人　☞ copy

rain **cats** and dogs　《口》雨がどしゃ降りに降る　☞ rain

CEO　最高経営責任者（chief executive officer の略）

企業の最高経営責任者のこと。単に chief executive と呼ぶこともあるが、これはアメリカでは大統領や州知事、市長、町長などの行政長官のことも指す。CEO は文字どおり企業のトップ経営者で、アメリカでは通常、会長である。その下にいる社長あるいは執行副社長（executive vice president）が chief operating officer（COO）という肩書きを持っている場合がある。☞ CXO

cog　名歯車の歯

a **cog** in a wheel　歯車の歯、大企業などで小さな役割を果たしている人

「大組織の中の小さな役割の人」を強調するために、a small cog in a large wheel［machine］などと言うこともある。比喩的な意味では、1930年くらいから使われるようになった。

con　名（= con game）信用詐欺　動（人）をだます

con は confidence（信用）の短縮形で、名詞でも動詞でも詐欺に関連する文脈で用いられる。

be **conned** into　だまされて…をする

「信用させてだます」から、口語の動詞としては「(人) を欺く [だます、ぺてんにかける]」という意味。

con man　《口》詐欺師

「信用 [取り込み] 詐欺師、ぺてん師」のこと。中でも特に巧みな手口を使う詐欺師を con artist と呼ぶ。artist と言っても「芸術家」ではなく、通常は修飾語を伴って「人」とか「名人」を意味する。escape artist といえば、マジックで「脱出 の 名人」ということ。また、con game は「(信用・取り込み) 詐欺」のこと。☞ scam（grandma scam）

• I hate those con men who exploit people in need.（私は、困窮している人を食い物にする詐欺師たちを憎む）

• A fast-talking con artist tried to sell get-rich-quick schemes over the phone.（口先の巧みな詐欺師が、電話で一獲千金の計画への勧誘を試みた）

cry　動 泣く、叫ぶ

cry on someone's shoulder　(人) に泣き言を言う

「だれかの肩によりかかって [顔を埋めて] 泣く」ということ。肩によりかかって泣くという比喩から、同情を引くために自分の苦労を訴えたり、悩みを打ち明けたり、愚痴をこぼしたりすることを意味する。shoulder to cry on は「悩みなどを聞いて慰めてくれる人」のこと。

cry wolf　オオカミが来たと叫ぶ

「虚報を伝える (give a false alarm)」「うそをついて人々を驚かせる」という意味。日本では「オオカミ少年」とも呼ばれているが、イソップ寓話の『羊飼いとオオカミ』(*The Shepherd Boy and the Wolf*) から生まれた成句。羊飼いの少年は「オオカミが来た！」とうそをついて人々を驚かせることを何回も繰り返したので、人々からの信用を失い、本当にオオカミが来た時に信じてもらえなかった、という話である。

cut 動 切る

cut-and-dried 形 月並みな

この表現はタバコ、木材、薬草や花などを「切って干す」作業からきている。こうして準備されたものは、役には立つかもしれないが、新鮮さを失って「無味乾燥」であるということ。「月並みな」「型にはまった」「手回しよく用意された」などといった意味。

cut both ways 諸刃の剣である、一長一短である

あるものが「よい面も悪い面もある」ことを意味する表現。☞ two（two-edged sword）

• Jim's sharp wit cut both ways, earning him both admiration and animosity.（ジムの鋭いウィットは諸刃の剣で、賞賛と反感の両方を得た）

• Technological advancements can cut both ways, offering convenience while also raising concerns about privacy and security.（技術の進歩は、便利さを提供する一方で、プライバシーやセキュリティーに対する懸念も引き起こす）

cut corners 節約する、手を抜く、はしょる

「近道をする」というところから、「（金・労力・時間などを）切り詰める［節約する］」という意味。

cut it [ice] 《俗》うまくいく、やり遂げる

cut it、cut ice とも「役に立つ」「影響を与える」といった意味で、通常は否定文あるいは疑問文で使う。Such flattery cuts no ice with me. と言えば、「そんなお世辞は私には通用しない」ということ。

CXO 経営幹部クラス

CEO や COO、CFO など、頭に C = chief がつく役職の人たちの総称。こういった役職名の略語はいずれも最初が C で最後が O な

ので、CXO とか C-suite と呼ばれる。「組織における X 分野の最高責任者」「最高 X 責任者」という意味である。

　chief という肩書きのついた経営者としては、chief financial officer（最高財務責任者）がいて、通常は財務担当取締役だ。chief strategy officer（最高戦略責任者）、chief intellectual property officer（最高知的所有権責任者）などもいるが、比較的新しい肩書きとしては、chief information officer がある。これはコンピュータを使った経営管理情報システムの担当役員のこと。ほかにも最近の新しい役職名としては、chief happiness officer（最高幸福責任者）、chief diversity officer（最高多様性責任者）、chief risk officer（リスク担当）、chief talent officer（人事担当）などがある。

dad 　名 パパ、お父さん

stay-at-home dad　家庭を守る父親、専業主夫

　主婦（housewife）に対して househusband とも言う。家事を専業とする夫のこと。stay-at-home vacation は、旅行に出かけずに自宅で過ごす休暇のことである。

・Stay-at-home dads are still the minority, but they're a growing minority.（専業主夫はまだ少数派ではあるが、増えつつある少数派だ）

day 　名 日、日中

at the end of the day　最終的には、結局のところ ☞ end

call it a day　《口》（仕事などを）切り上げる、おしまいにする ☞ call

day in and day out　毎日毎日、明けても暮れても

　「毎日毎日の繰り返し」を強調する言い方で、一般的にあまり楽しくない場合に使う。

Have a nice day.　よい1日を。

　最も一般的な別れのあいさつの1つ。ほかには、Take care. / See you

later. / See you soon. / Good-bye. / Catch you later. / Farewell. などがあるが、ちょっと気取って外国語で Hasta la vista.（スペイン語）、Ciao.（イタリア語）、Au revoir.（フランス語）、Auf wiedersehen.（ドイツ語）などと言うこともある。

mental-health **day**　メンタルヘルスデー、精神休養日

通常、有給扱いとなる病気欠勤日は sick day と呼ぶが、身体的な病気以外の理由で欠勤する場合に、アメリカでは mental-health day と呼ぶ。ストレス疲れから体を休め、精神的に健康な状態になるために休養を取ること。『ロングマン現代英英辞典』のオンライン版には、American English informal として、a day when you do not go to work, in order to rest（休養のため出勤しない日）と説明がある。会社によっては sad day と呼ぶところもある。

One of these **days** is none of these **days**.　いずれそのうちという日はない。

one of these days が「いずれそのうち」を意味し、そのような日はない、ということ。「いつか」何かをしようと思っているだけで具体的なアクションを起こさなければ、決して夢は実現はしない、やりたいことがあれば、目標を立て、期限を設け、それに向かって一歩一歩進んで行くことが重要だという意味。

save for a rainy **day**　まさかの時のために金を蓄える

「雨降りの日のために蓄える」だが、「将来の困窮、まさかの時のためにお金をためておく」という意味。

start the **day** on the right foot　その日の好スタートを切る

☞ foot

the **days** are long gone　そのような時代は遠い昔のことである［はるか昔に過ぎ去った］

倒置文にして Long gone are the days when all a reporter needed was a pencil, a notebook and a typewriter.（記者が必要と

していたのは鉛筆、ノート、そしてタイプライターだけという日々は遠い昔のことだ)のようにも言う。Those days are gone forever. は、「ああいう時代はもうこない」「昔はよかった」という意味で使う。

die 動 死ぬ、なくなる

Old habits **die** hard.　古い習慣はなかなかなくならない。

「身についた癖は容易に直らない」ということ。名詞の diehard は「頑強な抵抗者」「最後まで妥協しない人」「がんこな人」のことで、die-hard と形容詞として使えば「最後まで頑張る」「なかなかなくならない」という意味になる。

dis 動《口》侮辱する、けなす

「…に敬意を表さない」「…を尊敬しない」「…に失礼な扱いをする」という意味の disrespect の最初の音節から。「言動によって侮辱、批判する」こと。日本語の「ディスる」も dis が語源で、2000年代になってから若者を中心にインターネットスラングとして広まってきた。

dog 名 犬

西洋では古くから犬は man's best friend とされてきたが、否定的な意味で使うものも少なくない。(as) sick as a dog は「ひどく気分が悪い」「意気消沈して」という意味だ。

人間の「友」

手足の不自由な人のために日常生活動作の介助や緊急時の対応をしてくれる犬は「介助犬」(service dog) と呼ばれる。「盲導犬」は seeing-eye dog あるいは guide dog、聴覚障害者の助けをする「聴導犬」は hearing dog あるいは hearing-ear dog である。犬以外にも人間の心理的・精神的な生活を

助けてくれる動物は emotional support animal（感情をサポートする動物）と呼ばれ、アメリカなどでは登録制度もある。

Dog does not eat **dog**.　《ことわざ》犬は共食いをしない。同族［骨肉］相食まず。

　　dog-eat-dog は「（そんな犬でも）食うか食われるかの壮絶な」「徳義［自制心］のない」「残忍なほど貪欲な」という意味の形容詞。名詞としては「情け容赦のない競争」の意で使われる。

dog walker　犬の散歩を請け負う人

　　報酬をもらって犬の散歩を請け負う人のことで、dog-sitter（＊ baby-sitter から）とも呼ばれる。

doggy bag　ドギーバッグ

　　「飼い犬に食べさせるため」という遠回しな表現で、レストランやパーティーの客が食べ残しを持ち帰ることから、そのための持ち帰り用の箱や袋をアメリカではこう呼ぶ。暑い季節や食材によっては、食中毒などへの配慮からドギーバッグを断るレストランもあるし、高級レストランでは普通あまり対応してくれない。

　　• Doggy bags are a standard feature of eating out in America. Waitstaff ask guests if they want a doggy bag when they don't clean their plates. Some restaurants even mention doggy bags on their menus.（ドギーバッグはアメリカでは外食に付き物だ。お客が料理を残してしまった時には、ホールスタッフはドギーバッグを希望するかどうか尋ねる。レストランによっては、ドギーバッグについてメニューに書かれているところさえある）

doghouse　名《米》犬小屋

　　be in the doghouse（with someone）というイディオムは、直訳すれば「（…との関係で）犬小屋に入っている」だが、これは口語のイディオムで、「（人に対して）面目を失って」「（人の）機嫌を損ねて」「愛

想を尽かされて」といった、関係がまずくなっていることを意味する。ちなみに cathouse は売春宿（brothel）のこと。

- I'm in the doghouse with my boss. I lost an important client due to my mistake.（上司との関係がまずくなっています。私の間違いのために重要な顧客を失ってしまいました）

dog's life　苦労の多い状況、みじめな状況

lead a dog's life で「みじめな暮らしをする」「すさんだ生活をする」。

go to the **dogs**　《口》悪くなる、だめになる

- This hotel used to be quite chic, but it's really gone to the dogs under its new management.（このホテルはとてもシックだったのだが、新しい経営陣のもとでだめになってしまった）
- I can't believe how this quaint village has gone to the dogs with overtourism.（この古風な趣のある村が、観光公害によって悪い状況になるなんて信じられない）

man bites a **dog**　人が犬を噛む

異常でセンセーショナルな話ほどマスコミの関心を得るという意味で使われる。

- When a dog bites a man, that is not news; but when a man bites a dog, that is news.（犬が人間を噛めばニュースではないが、人間が犬を噛めばニュースだ）

rain cats and **dogs**　《口》雨がどしゃ降りに降る　☞ rain

The tail wags the **dog**.　本末転倒である。

A dog wags its tail. は「犬が尾を振る」ということだが、The tail wags the dog. / It's a case of the tail wagging the dog. とすると、「尾が犬を振る」から「目下の者が目上の者を支配する」「主客転倒」「本末転倒」という意味。

top **dog**　《口》最重要人物、最高権威者、ボス

「負け犬」「敗北者」の underdog に対することばで、「勝者」「トップ

の人間」の意味。通常、人間に関して使う表現。口語では big cheese
や big shot、big wheel もほぼ同じ意味で使う。

You can't teach an old **dog** new trick. 《ことわざ》老犬に新
しい芸を教えることはできない。

　「年配者や頭の固い人に新しいことを教えることはできない」という
意味のことわざ。その反対は It's never too late to learn. で、「学ぶ
のに遅すぎるということはない」。

dry　形 禁酒の、アルコール抜きの、無味乾燥な

アメリカで dry state と呼ばれ飲酒が禁止されていたり、酒類の販
売が認められてなかったりするのは、カンザス、ミシシッピ、オクラ
ホマ、テキサスなど南部の一部の州。ただ、全州的に禁止されている
のではなく、郡（county）や曜日、販売形態、アルコールのタイプによ
って規制が異なる。

　また、(as) dry as dust といえば「まったくおもしろくない」「無味
乾燥な」という意味。d が頭韻になっている。

cut-and-dried　形 月並みな　☞ cut

Dry January　1月の禁酒月間

もともとはイギリスの慈善団体が2013年に始めた運動で、近年ア
メリカでも浸透しつつある。12月は休暇シーズンなどで飲酒の機会
が多いので、1月を禁酒の月にして、アルコールとの関係を見直そう
という趣旨。略して Drynuary とも呼ぶ。

due　形 行われるべき、しかるべき

due credit　それ相応の称賛

Give credit where credit is due. は「どんな（嫌な）人でも、よいこ
とをした時は公平に評価せよ」という意味のことわざ。同じような意
味のことわざに、Give the devil his due.（たとえ悪魔にも認めるべき

ところは認めてやれ）がある。to give the devil his due は「公平な目
で見れば」という意味で挿入句として用いる。

with (all) due respect　失礼ながら、恐れながら

due は「当然の」「しかるべき」「十分な」の意で、相手に敬意を払いな
がら丁寧に反論や批判などをする場合の決まり文句。そのあとに I
disagree. などと続けることがある。

DUI　飲酒または麻薬の影響下の運転（driving under the influence の略）

DWI は driving while intoxicated で「酩酊運転」だが、厳密な定
義の区別はない。しかし、アメリカのどの州においても、飲酒または
麻薬の影響下で乗用車、トラック、オートバイなどを運転することは
犯罪とみなされる。また、最近は携帯電話で通話したり、メッセージ
の送受信をしたりしながらの「ながら運転」（driving while distracted）
も同様に危険とされ処罰の対象になる。

ear　名 耳

be music to someone's ears　（人）の耳に心地よい、（人）の耳には
音楽に聞こえる

人にとってうれしい知らせやことばなどを意味する。Your bonus
this year is double last year's.（今年のボーナスは昨年の倍です）と言
われて、Oh, that's music to my ears! などと応じることもある。ま
た、苦言を呈する時などには、It may not be music to your ears,
but ...（お耳障りかもしれませんが…）などと使う。

bend someone's ear　《口》（人）に長々と話をする、しゃべりまくる

イディオムで、「疲れて相手の耳が曲がるほど［相手がうんざりする
ほど］延々と話し続ける」という意味。

I'm all ears.　一心に耳を傾けていますよ。

「ぜひ聞きたいですね。だから話してください」（You have my attention,

so you should talk.) と相手に話を促す時の言い方。

「指」の名称

身体部位を用いた類似の表現として、I'm all thumbs.（私は不器用だ）がある。英語で手の指の名前は、「人差し指」がforefinger あるいは first [index] finger、「中指」は middle finger、「薬指」は ring finger（＊指輪をはめる指から）、「小指」は little finger と呼ばれるが、親指だけは thumb と別の語を使う。

• Henry is a skilled auto mechanic, but he's all thumbs when it comes to smartphone repairs.（ヘンリーは熟練した自動車修理工だが、スマートフォンの修理となるとうまくない）

　　ただし足の指はすべて toe で、足の親指は big toe、足の小指は little toe などと呼び、finger は用いない。

I've had it up to my **ears** with　…にはうんざりだ、…に辟易して(へきえき)いる、…は我慢できない

またI'm up to my neck in work. は「とても忙しい」「仕事に追いまくられている」、... in debt だと「借金で首が回らない」ということ。

keep one's **ear** to the ground　周囲の動きにアンテナを張って（情報を得ようとして）いる

馬に乗って移動していた時代に敵の動きを感知するため、地面に耳をつけたことからきた比喩的表現。

lend an [one's] **ear**　耳を傾ける、耳を貸す、相談に乗る

相手の話を慎重に、細心の注意を払って聞く（to listen carefully or pay close attention）という状況を表す。

Friends, Romans, countrymen, lend me your ears;
I come to bury Caesar, not to praise him.

（友よ、ローマ市民よ、同胞よ、我に耳を傾けよ。

我はシーザーを葬（ほうむ）るために来た。彼を讃（たた）えるためではない）

これはシェークスピア作の『ジュリアス・シーザー』(*Julius Caesar*) に出てくるマーク・アントニーの有名な演説の冒頭の台詞。

貸してほしかったのは耳…

かつてウィンストン・チャーチルが若かったころ、市場で演説をしていると、突然大きなキャベツをぶつけられたという。その時に彼が言ったのは、"I asked for the gentleman's ears — not his head." (「耳を貸してください」とは言ったけれど、「頭を」とは言いませんでした)。head は「頭」だが、形が似ているので「キャベツやレタスなどの1個分」の意味。このしゃれは大いに受けたようだ。

The walls have ears. 《ことわざ》壁に耳あり。

日本でも「壁に耳あり、障子に目あり」と言うが、The walls have ears. は西洋のことわざ。「スパイに警戒せよ」「秘密は漏らすな」という意味で使われた第2次世界大戦中の代表的なスローガン。このフレーズをもじった言い方に The ears have walls. がある。特に権力の座にある人たちは、耳に「壁」があって他人の話を聞こうとしないという意味で使われる。Loose lips sink ships.（不用意にしゃべったことで船が沈められる）も第2次世界大戦中のスローガン。

wet behind the ears 《口》青二才である ☞ wet

eat 動 食べる

You are what you eat. 私たちは自分が食べる物でできている。

「体は食べ物によって作られている」「何を食べるかによってその人の健康状態が決まる」という意味。*Random House Dictionary of*

Popular Proverbs and Sayings では、Your health, looks, and well-being result from the kinds of food you consume. と説明がある。つまり「人の健康状態、容姿および幸福は、何を食べているかによって決定される」ということ。

eco- 接辞 生態、環境（ecology の略）
eco-friendly 形 環境に優しい

eco- は名詞・形容詞に付けて複合語を作る接頭辞。-friendly は「…に優しい」という意味で、1980年代後半から使われるようになった。ほかにも environment-friendly［environmentally friendly］、planet-friendly などは「（地球）環境を汚染しない」の意味で使う。

end 名 終わり、端
at the **end** of a rainbow 虹の端

虹の端、つまり虹が地面に届くと考えられる場所には金のつぼがあると西洋では信じられていて、虹が消える前にその地点にたどり着くことができた者はそれを手に入れることができると言われる。そのつぼを a pot of gold at the end of the rainbow と呼ぶ。その言い伝えからイディオムとして「手に入れたり達成したりするのが不可能なこと」という意味で使われる。

虹の端にあるものは？

What is at the end of a rainbow? — W.
「虹の端にあるのは何か」という子供たちがやるなぞなぞ遊び。通常は a pot of gold なのだが、答えは w となっている。つまり rainbow という語の最後（end）にあるのはアルファベットの w ということ。

at the **end** of the day　最終的には、結局のところ

「1日の終わりに」という文字どおりの意味で使うこともあるが、イディオムとしては「結局のところ」「いろいろ考慮してみると」「つまるところ」という意味で用いられる。

• At the end of the day, Matt puts his family before his career.（結局、マットは自分のキャリアよりも家族を優先している）

• We had our differences, but at the end of the day, we agreed to help each other.（私たちは意見の相違があったが、結局はお互いに助け合うことで合意した）

• At the end of the day, money is not the most important thing in life.（結局のところ、お金は人生において一番大切なものではない）

burn the candle at both **ends**　無理をする ☞ burn

dead **end**　先の見込みがない所、行き止まり

dead end は「（通路などの）袋小路［行き止まり］」のことで、比喩的に「今後の見通しが立たない状態」の意味でも用いる。come to ［hit］a dead end は「（出口の見えない）袋小路に入り込んでしまう」ということ。

　　dead-end と形容詞としても使い、dead-end job は「昇進の見込みのない仕事」を指す。

end in itself　それ自体が目的、目的そのもの

end は「（最終）目的」「目標」の意。a means to an end は「目的を達するための手段」ということで、手段自体が目的になってしまった場合には、次のような言い方をすることができる。

• Making money has ceased to be a means to an end and has become an end in itself.（お金を稼ぐことが目的を達する手段ではなくなり、それ自体が目的になってしまった）

high-**end**　圏《米》高級な、高性能の ☞ high

open-**ended** question　自由回答式の質問 ☞ open

era 　名時代

preindustrial era　産業革命以前の時代

　産業革命（Industrial Revolution）は、18世紀半ばから19世紀にかけてイギリスから始まった、技術革新による産業の変革と、それに伴う経済・社会構造の大変革のこと。preindustrial の反意語は postindustrial（脱工業化の、大規模産業支配後の）で、postindustrial society は「脱工業化社会、ポスト工業化社会」である。

err 　動誤る、間違える

err on the side of　…すぎて間違える［失敗する］、必要以上に…である

　err on the side of being a bit formal は「少し改まりすぎるほどに改まる」だが、間違ったとしても a bit formal のほうがいい、ということ。err on the side of caution は「慎重を期す」「用心に用心を重ねる」の意味。

To **err** is human.　過つは人の常。

　To forgive divine. と続く。「過つは人の常、許すは神の心」ということで、18世紀前半のイギリスの詩人 Alexander Pope が『批評論』（*An Essay on Criticism*）の中で使った有名な句。

eye 　名目　動見つめる

　動詞としての eye は「関心がある」「目をつける」「注目する」という意味がある。名詞の eye を用いた have (got) one's eye on は「…に目をつける」「…に注目する」ということ。

an **eye** for an **eye**, a tooth for a tooth　目には目を、歯には歯を

　旧約聖書『出エジプト記』（*Exodus*）に出てくる「復讐」のことば。相手にされたとおりに仕返しするにとどめ、それを超えて復讐してはい

けないという戒め。<ruby>戒<rt>いまし</rt></ruby>

> **eye と I**
>
> When two egotists meet, it's an I for an I.
> （2 人の利己主義者が出会うと、「私」対「私」となる）
> 　これは、eye と同音意義語の I を使ったしゃれ。

Beauty is in the eye of the beholder. 《ことわざ》美は主観の問題である。

　「美とは見る人の目の中にある」、つまり「何が美しいかはその人の主観による」という意味のことわざ。日本語の「たで食う虫も好き好き」に相当する。

・Competence, like truth, beauty, and contact lenses, is in the eye of the beholder. (能力とは、真実、美、そしてコンタクトレンズと同じく、見る人の目の中にある。―カナダの教育者 Laurence J. Peter が書いた *Peter Principle* から）

eye test 視力検査

　非常に小さな文字で組まれた文書やスライドなどのことをユーモラスにこう呼ぶことがある。

look someone in the eye （人）の目をまっすぐに見る

　「相手の目をまともに見る」「相手を正視する」ということで、強調して look someone straight [right] in the eye とも言う。文化的背景や個人の性格によっては、相手の目を見て話すのが苦手な人たちもいるが、一般的に欧米人は目線を合わせて話をする。目を見て話せないのはうそをついているか隠し事をしているかのどちらかでは、と疑われる場合もある。

・Look me straight in the eye and tell me you didn't do it. (私の目をまっすぐに見て、あなたはそれをしなかったと言ってください）

raise **eye**brows 眉^{まゆ}をつり上げる

両方または片方の眉をつり上げ、軽蔑、驚き、疑惑などを表すジェスチャー。

red-**eye** 图 夜行便、深夜飛行便

red-eye flight とも言う。red-eye は名詞としては「(寝不足などによる)目の充血」「(写真の)赤目現象」の意味、形容詞としては「目が充血した」の意味でも使われる。アメリカの西海岸から東海岸へのフライトのような長時間の深夜便では、乗客が寝不足で目を赤くすることからこう呼ばれるようになった。

• Did you take a red-eye back to New York after your pitch in LA? Your eyes sure look bloodshot. (ロサンゼルスでプレゼンをしたあと、深夜便に乗ってニューヨークに戻ってきたのですか。目が確かに充血しているように見えます)

roll one's **eyes** (驚きや失望、軽蔑を表すジェスチャーとして)目をぐるりと上に向ける ☞ roll

see **eye** to **eye** 《口》意見が一致する

• Unfortunately, my boss and I don't see eye to eye on the best approach to optimize the workplace environment. (残念ながら、職場環境を最適化する最善の方法について、私と上司の意見は一致しない)

shut-**eye** 图《口》ひと眠り、眠り

shut one's eyes は「目を閉じる」ことで、そこから shut-eye は「ひと寝入り」「睡眠」を意味する。

• I was trying to get some shut-eye on a red-eye, but it was impossible. (深夜便の飛行機で少し寝ようと思ったのだが、それは不可能だった)

また、shut one's eyes to something は、日本語の用法と同様で「…を見て見ぬふりをする」「わざと目をつぶる」(look the other way) という意味になる。

Your **eyes** are bigger than your stomach.

文字どおりには「あなたの目は胃袋より大きい」だが、食事中に子供などをたしなめて「欲張っても食べきれないよ」の意味で言う。「食べ物を見て食べられると思ったほどたくさんの量はおなかの中に入らない」ということ。食べ物を多く取りすぎて残さないように、とたしなめる表現である。

fad 图（一時的な）流行

•This article argues that plant-based foods are just a fad, but I disagree.（植物由来の食品は単なる流行にすぎないと、この記事は主張しているが、私は意見が異なる）

FAQ よくある質問（frequently asked questions の略）

「頻繁に尋ねられる質問」という意味だが、ユーザーや社内外からよく尋ねられる商品やサービス、業務に関する質問とその回答をまとめてリストアップしたものを指す。FAQ は本来複数形の frequently asked questions の略であるが、FAQs と表記することもある。

far 副 遠く、はるかに

far off　遠い先のことで、遠いところで

「時間的・空間的に遠く離れた」（remote in time or space）ということ。また、Better is a neighbor that is near than a brother far off. は聖書の Proverbs（箴言）にあることばで、「遠くの親戚より近くの他人」の意である。

•The day isn't far off when "robo-bosses" will keep tabs on employee performance by gauging output and monitoring customer feedback.（生産高を測定したり顧客の反応をモニターしたりすることで、「ロボ上司」が従業員の仕事ぶりを監視するようになる日は遠

くはないだろう）

• As the sun set, a faint glow lingered far off on the horizon. (太陽が沈みかけると、遠くの地平線にはかすかな輝きが残った)

So **far**, so good. 今のところは順調です。☞ so

fit 動 ぴったりと合う 形 適切な、調子のいい

(as) **fit** as a fiddle きわめて健康で

fiddle はバイオリンのこと。f の音が頭韻を踏んでいる。

　　語源についてはいろいろな説があるが、アイルランド生まれの表現とするものが有力かもしれない。アイルランドのカントリーダンスが催される時には、バイオリン弾きは一晩中元気にバイオリンを弾き続けなくてはならなかった。そのため、このような表現ができたと言われている。

as one sees **fit** 適切とみなす[思う]ように

• Each department head can assign projects as they see fit. (各部門の責任者は、自分たちが適切と考えるプロジェクトを割り当てることができる)

one-size-**fits**-all solution 万能な解決策 ☞ one

fix 動 固定する、直す、整える 名 解決策、苦境、八百長 (試合)

動詞としてはアメリカ英語でいろいろな意味に使われ「不精な動詞」(slatternly verb) とも呼ばれる。*A Dictionary of Contemporary American Usage* には次のような例が載っている。Fix a tire. (パンクを直せ)／Fix yourself up. (身なりをきちんとしなさい)／He's fixed it with the cop. (彼は警察官と話をつけた)／She's fixing supper right now. (彼女はちょうど今、夕飯の調理をしている)／Wait till I fix my hair. (髪を整えるまで待って)／He's really fixing a scheme this time. (彼はまさにこの時、計画を企てている)

名詞としては、インフォーマルな文脈で「解決策」「窮地」「八百長」などを意味する。in a fix（苦しい状況にある、困った立場にある）などとよく用いる。

flu 　名 インフルエンザ（influenza の略）

普通の風邪（common cold）の場合も flu と呼ぶことがあるが、本来は誤用。bird flu あるいは avian flu はアジア、欧州などで人への感染が恐れられている「鳥インフルエンザ」のこと。stomach flu は、サルモネラ菌などによって引き起こされる腹痛や下痢などの胃腸炎のこと。

for 　前 …のために、…の間

for the better　よりよい方向に、よりよくするために

• Tracy's new job has changed her life for the better.

（新しい仕事のおかげで、トレイシーの生活はこれまでよりもよい方向に変わった）

for the time being　当分の間、さしあたり ☞ time

gas 　名 ガス、気体、ガソリン

gas station　ガソリンスタンド

「ガソリンスタンド」というのは和製英語で、アメリカでは gas station や service station、filling station などと呼ぶ。イギリスでは petrol station が一般的。

greenhouse **gas**　温室効果ガス

主なものとしては、二酸化炭素（carbon dioxide）、メタン（methane）、一酸化二窒素（nitrous oxide）、フロン（chlorofluorocarbon）など。地表からの熱を吸収し、その熱の一部を地表面に向けて放射するので、温室効果をもたらす。人間の活動によって、大気中への温室効果ガ

ス の 放出 が 増えている こと が、地球温暖化 の 主要 な 原因 と されている。「温室効果ガス の 排出」は greenhouse gas emissions で、「温室効果ガス の 削減」は greenhouse gas reduction である。

toxic gas　有毒ガス

toxic は「有毒 の」「毒性 の」という 意味 で、通常 gas、chemical、substance、waste などの語を修飾する。最近では toxic boss、toxic relationship、toxic culture といった使われ方をすることもある。こういった場合の toxic は、「人に（心理的な）害を及ぼす」「悪い」という意味。

get 　動 得る、…にする［なる］

get a brainstorm　ひらめきを得る、妙案が浮かぶ

brainstorm はアメリカの口語で「（突然ひらめく）アイデア」「突拍子もない考え」のことで、「ブレーンストーミング（brainstorming）を行う」という意味の動詞としても使う。ブレーンストーミングとは、「各人が自由にアイデアを出し合って行う、問題解決を目的とした会議」のこと。

get in on the ground floor　（プロジェクトなどに）最初から関わる

直訳すれば「1階から入る」だが、「（組織や投資計画などに）最初の段階から関わる」ということ。

get off the ground　（物事が）うまくスタートする

「（ロケットや航空機などが）離陸する」がもとの意味で、そこから、イディオムとしては「（物事が）うまくスタートする」「軌道に乗る」といった意味で使われる。

get one's bearings　自分の立場［居場所、なすべきこと］を知る

新しい状況において「自分の立ち位置を把握する」といった意味。この場合の bearings は機械部品のことではなく、「（ある目標に対する自己の）相対的位置」のこと。lose one's bearings は「道に迷う」「自

分のいる所がわからなくなる」ということ。複数形の bearings はもともと海事用語で、「方位」の意味である。

get the skinny on 《俗》…についての情報を手に入れる

skinny は名詞で、「(内部)情報」「事実」という意味のアメリカ俗語。「やせこけた」「骨と皮ばかりの」の意味の形容詞がどのようにしてこのような意味を持ったのかは、定説がない。

get too personal 個人的になりすぎる、あまりにも個人的なことを話す

personal は「個人に関する」「一身上の」という形容詞だが、「(発言などが)個人攻撃的な[個人に向けた]」といった意味もある。

get up on the wrong side of the bed 機嫌が悪い ☞ bed

Got you. わかりました。なるほど。

発音どおりに Gotcha. とつづることもある。もともとは I got you. で「理解しました」ということであるが、いたずらをしたり不意に驚かせたりした時などに、「引っ掛かったな」「わーい」という意味で使うこともある。

You [You've] **got** me (there). まいったな。さあ、わかりません。

相手の質問に対する答えがわからない時などに使うフレーズ。

gig 名(音楽などの)ライブ

もともとはジャズやロックなどでミュージシャン同士が、その場かぎりの演奏(単発ライブ)をやってみることを意味した。

gig economy ギグエコノミー

gig とは、インターネットを通じて「単発の仕事」を個人で請け負う働き方や、そのワークスタイルを基盤とした経済形態を指す。ネットを使った配車サービスの運転手として働いたり、ネット経由で企業からデザインやコンテンツの制作を受注したり、宿泊施設を提供したり、便利屋サービスや料理の配達を請け負ったり、といった業務形態が挙げられる。

gun 名銃

The only way to stop a bad guy with a **gun** is (with) a good guy with a **gun**.　銃を持つ悪人を止める唯一の手段は銃を持つ善人だ。

銃規制に反対する全米ライフル協会（National Rifle Association）などの圧力団体（gun lobby）が主張する論理。銃を持った侵入者に対抗するためには、学校の教職員も銃で武装すべきだ、という考え方である。銃規制における論争の焦点の1つとなっている。

•Guns don't kill people. People kill people.（銃は人を殺さない。人が人を殺す）

これも銃規制に反対するスローガン。

gut 名内臓、（複数で）勇気、根性

gut は「内臓」「はらわた」のことで、そこから「勇気」「根性」「ガッツ」を意味する。複数形の guts は「ガッツ」と日本語にもなっている。イディオムの spill one's guts は「秘密をぶちまける」、work one's guts out は「懸命に［汗水たらして］働く」という意味。gutsy は「ガッツのある」という意味の口語の形容詞。

gut feeling 《口》直感、何となく感じること

「理屈ではない直感」「勘」の意。gut instinct や gut reaction も同じような意味で使う。

•My gut feeling is that most of the folks in this company are pretty happy campers.（私の直感では、この会社の人たちのほとんどが現状にかなり満足しているように思える）

•Listen to what your gut is telling you. Don't trust an email if it asks for your personal information.（直感に耳を傾けて。個人情報を求めるメールを信じてはいけない）

have the **guts** to　…する勇気［度胸］がある、…するほど大胆だ

- If you have to fire someone, you should have the guts to tell them the bad news face-to-face.（もしだれかを解雇しなければならないのなら、その悪い知らせを直接本人に伝える勇気を持つべきだ）
- I must admit I don't have the guts to try bungee jumping.（正直言って、私はバンジージャンプに挑戦する度胸はない）

guy　图《口》男、奴、(複数で)みんな

Nice **guys** finish last.　いい子ぶっていたのでは勝負に勝てない。

☞ nice

you **guys**　《口》みんな、皆さん、あなた方

「皆さん」ということで、you folks や you all なども同様に使われる。最初は男性だけのグループに対して使われてきたが、アメリカでは男女混合あるいは女性だけのグループに対しても you guys と言う。

ただ、guy には本来の「男」「奴」の意味合いが強いと感じ、こう呼びかけられることに反発する女性や、you guys と言われることを「なれなれしすぎて不快だ」と感じる人たちもいるので、気をつける必要がある。

hat　图帽子

old **hat**　《口》時代遅れの（もの）、古くさい（もの）

- Wearing a three-piece suit with a necktie may seem like old hat these days.（スリーピースのスーツにネクタイを着用するのは、最近では古くさいと思われるかもしれない）

take one's **hat** off to　《口》(比喩的に)…に脱帽する

「…に帽子を脱ぐ」ということだが、そこから「…に敬意を表する」「…に敬服する」という意味で比喩的に使う。日本語の用法とも似ている。日本語の古い言い回しでは、「降参する」の意味で「シャッポを脱

ぐ」とも言うが、シャッポ(chapeau)はフランス語で、つばのついた帽子のこと。また、raise one's hat to は「帽子を上げて(人)にあいさつする[敬意を表す]」ことである。

wear two hats   1人で2つの役目を兼ねる

「2足のわらじを履く」「1人2役を演じる」ということ。帽子は職業のシンボルであったことから。

• The securities analyst wears two hats. He's also a popular TV commentator.（その証券アナリストは二足のわらじを履いている。彼はテレビの人気コメンテーターでもある）

hit 動 打つ、衝撃を与える

be hit hard by   …によって大きな打撃を受ける

• The local tourist business was hit hard by the recent recession, resulting in large-scale unemployment.（地元の観光業は最近の不況で大打撃を受け、大量失業が生じた）

hit a brick [stone] wall   壁に突き当たる、停滞する ☞ wall

hit it off   仲よくなる、意気投合する、気が合う

• Tony and Greg are both avid fishermen, so they hit it off right away.（トニーとグレッグは共に大の釣り好きなので、2人はすぐに意気投合した）

hit the ground running   本格的に活動を開始する、新しい事業などを強力に推し進める、迅速に着手する

もともとはアメリカの海兵隊の俗語だった。走行する輸送車から路面に降り立ち、すぐに走りながら次のアクションを開始するさまから出たと言われる。

• "Are you fully staffed to handle the incoming new business?"（新規に入ってくる仕事を扱うためのスタッフは十分にいる?）

"No sweat. Our people know how to hit the ground running."

(大丈夫。当社の人間は迅速に仕事に取りかかるやり方を心得ているから)

hit the hay [sack] 《口》寝る、ベッドに入る

　文字どおりには「(体で) 干し草を打つ」ということ。で、hay は「(家畜の飼料となる) 干し草」だが、かつては hay を詰め物にして「マットレス」を作ったところから。sack は「(穀物などを入れる) 袋」「(綿入り) 袋」のこと。

hit the nail on the head　(意見・判断などが) まさにそのとおりである、的を射ている

　文字どおりには「くぎの頭を打つ」だが、そこからの比喩として「適切なことを言う」「核心を突く」の意味のイディオム。

how　副 どのように

How may I help you?　何かお手伝いできますか。いらっしゃいませ。

　かつて店員が客を迎える時の定番のことばは、May I help you? (何かお求めでしょうか。何かお探しですか。何を差し上げましょうか) であった。しかし、How を付け加えた、より積極的に客の買い物を手伝いたいという気持ちを表すフレーズを使うようになってきた。

ice　名 氷

break the **ice**　(その場の) 緊張をほぐす、場を和ませる

　「砕氷船 (ice-breaker) が一面に張り詰めている氷を砕く」ところからの連想で、「(パーティーや初対面の場、あるいはプレゼンテーションの冒頭などで) 緊張 [堅苦しさ] をほぐす」「場を和やかにする」、あるいは「(会話・質問などの) 口火を切る [糸口を見つける、きっかけをつくる]」という意味で使われる。get the ball rolling (物事を順調にスタートさせる [軌道に乗せる]) もほぼ同じような意味で用いる。

　また ice-breaker には「会話のきっかけ」「緊張をほぐすもの」という意味もある。☞ ball (get the ball rolling)

• Amy often asks people about their hobbies to help break the ice.（エイミーはぎこちない雰囲気をほぐしやすくするために、みんなにそれぞれの趣味についてしばしば尋ねる）

IoT　モノのインターネット（internet of things の略）

あらゆる物がインターネットに接続していることによって実現する新たなサービス、ビジネスモデル、またはそれを可能とする要素技術の総称（『デジタル大辞泉』より）。従来のインターネットでは、コンピュータ同士をつなぐのが一般的だったが、現代では自動車や冷蔵庫のような家電自体をインターネットにつなげ、より便利に活用しようという試みを示すことば。

-ize　接辞 …化する、…にする

形容詞や名詞につけて「…化する」「…にする」といった意味の動詞を作る接尾辞。イギリス英語では -ise とするのが一般的。たとえば、organize / organise、recognize / recognise、realize / realise、apologize / apologise、authorize / authorise など。

　Coca-colonize あるいは cocacolonize とは、アメリカの清涼飲料 Coca-Cola を中心とした「アメリカ文化のグローバル化」のことで、Coca-Cola と colonize（植民地化する）のかばん語（＊複数の語の一部を組み合わせた混成語）である。Americanize（アメリカ化する）の同意語としても使われる。

　この接尾辞は16世紀終わりごろから用いられているが、その便利さのために、いろいろな造語ができてきた。nationalize（国営化する）、jeopardize（危険にさらす）といった語は、現在では普通に使われているが、初めはかなり抵抗があったようだ。

　今でも、monetize（マネタイズ、収益化する）、prioritize（優先順位をつける、優先させる）、incentivize（報奨金を与える）、privatize（民営化す

る）、computerize（コンピュータ化する）などのように、広告やマスコミなどを通じて流行語的に英語に取り入れられ使われる語については、一部に拒否反応がある。

-ize を用いた造語

最近は固有名詞やインターネット用語に -ize をつけた語を目にすることがある。Uberize は「既存のビジネスモデルをアプリを使ったオンデマンド形式に変える（Uber の社名から）」、Amazonize は「生活のありとあらゆる側面にアマゾンの製品やサービスが浸透し、人々の生活にアマゾンが欠かせなくなる」、textize は「情報をテキスト形式に転換する」、podcastize は「コンテンツをポッドキャスト形式に変換する」「ポッドキャスト用にコンテンツを作成する」ということをそれぞれ意味している。

---

jam 動 押し込む 名 雑踏

jam-packed 形 ぎゅうぎゅう詰めになった、すし詰めの

身動きができないほどの「込合い」「雑踏」のことで、比喩的にも使われる。jam は「雑踏」「身動きができない［立錐（りっすい）の余地がない］ほどの混雑」の意味。

• The warehouse was jam-packed with returns of a defective product.（その倉庫は返品された欠陥商品でいっぱいになっていた）

• Kids today have many more extracurricular activities than we did at their age — their schedules are jam-packed.

（今の子供たちには、私たちが同じ年齢だったころよりもずっと多くの課外活動がある。彼らのスケジュールは過密だ）

jet 名 ジェット機

jet set　ジェット族

主に、自家用ジェット旅客機を利用して世界中を旅行する国際的な富裕層の人たちや、ジェット旅客機に乗り世界中を飛び回って仕事をするビジネスパーソンたちのこと。

job 名 仕事、職

green-collar job　自然環境に関係のある仕事

1990年ごろから使われるようになった語。white-collar、blue-collarはよく知られた職種の区分けで、white と blue がそれぞれ「ワイシャツ」(white shirts)と「作業着」の色なのに対して、green は広く「自然環境」を表す語。なお、steel-collar worker は生産ラインに配置されている産業用ロボット(industrial robot)のこと。

hop from job to job　職を転々とする

「(よりよい賃金や待遇を求めて)次々と職を変える[たびたび転職する]」は job-hop、そうする人のことは job-hopper と言う。

job turnover　離職率

turnover だけだと、イギリスとアメリカで違った意味に受け取られることがある。イギリス英語では、「(一定期間の)取引高」「総売上高」を意味するのに対して、アメリカ英語では「離職率」「転職率」を意味することが多い。そこで誤解を避けるために、前者の意味では sales turnover、retail turnover などとし、後者の場合には turnover の前に job や employee、staff、personnel、labor などの語を使うと意味がはっきりする。

pink-collar job　伝統的に女性が主位を占めてきた仕事

white-collar と blue-collar というよく知られた職種の区分けのほかに、pink-collar という語がある。このことばは、アメリカで1970

年代の終わりごろから使われるようになったもの。意味は、伝統的に
女性が主位を占めてきた仕事のこと。例としては、秘書、受付係、美
容師、看護師などがあるが、現代では必ずしも女性だけの職場では
なくなってきている。☞ pink

Job [名] ヨブ

the patience of Job （ヨブのような）並外れた忍耐力 [忍耐強さ]

Job は旧約聖書の『ヨブ記』（*the Book of Job*）の主人公で、数々の苦難
に耐え信仰を守り通したとされるところから。

joe [名]《俗》男

Joe と大文字で始めれば、男性名の Joseph の愛称だが、小文字で始
まる joe はアメリカの俗語で「男」を意味し、average joe や regular
joe は「普通の［典型的な］男性」「いい奴」のこと。

「コーヒー」も joe

また joe はアメリカの俗語では「コーヒー」の意味もある。a
cup of morning joe などと使い、コーヒーショップには Joe
and Juice と書かれた看板があったりする。どうして coffee
が joe と呼ばれるようになったかについては諸説あり、定か
ではない。ジャワ産のコーヒーの Java が訛ったものとする
説や、海軍の軍人が好んだコーヒーを意味する Navy Joe か
らといった説がある。

K-12   13年間の教育期間（読み方は k twelve、k through twelve など）

K12 とも表記する。幼稚園（kindergarten）から高校卒業（Grade 12）
までの13年の初中等教育期間を包括的に指す名称。アメリカやカナ

ダの英語圏が始まりだが、さまざまな地域で初中等教育を考える際
の枠組みになっている。

kid 　動 冗談を言う、からかう
I **kid** you not. 《口》冗談ではありません。

I'm not kidding (you). や No kidding. も同じ意味で使う。ただ
No kidding. は、相手が言ったことに対して「まさか!」という意味
で使う場合もある。

「冗談でしょう」という意味では、You've got to be kidding. とか
You can't be serious. などと言える。

KOF 　友達のような人たち、ある種の友人たち（kind of friends の略）
ネット上だけの友達、それほど親しくない友達のこと。ネット用語。

lay 　名 (置かれた)状態、位置　動 横たえる、置く
get the **lay** of the land 　《米》状況を把握する

the lay of the land はもともと「陸が横たわっているさま」「地形」の
こと。かつて船が未知の島や大陸などに近づいた時、「陸がどのよう
に横たわっているか」をまず見たところからと言われている。そこか
ら「状況」「事態」「地勢」の意味で使われる。イギリス英語では the lie
of the land と言う。

leg 　名 脚
pull someone's **leg** 　(人)をからかう

「(人)を軽くからかう」「面白半分に［冗談で］(人)をだます」という
意味。*Merriam-Webster.com Dictionary* は to make someone believe
something that is not true as a joke: to trick or lie to someone
in a playful way（ジョークで本当でないことを人に信じさせる、ふざけ

て誰かにいたずらをしたりうそを言ったりする）と説明している。「足を
引っ張る」という日本語の成句とはまったく違っている。You're
pulling my leg. とか Stop pulling my leg. といった形でよく使わ
れている。

　このイディオムの由来については諸説あるようだが、*The Facts on
File Encyclopedia of Word and Phrase Origins* では、かつてのイギリス
には footpad と呼ばれる追いはぎがいて、ペアの1人が杖を使って
歩行者を転ばせてから盗みを働いたところからきた、という説を紹
介している。

lie 名 うそ

tell a white lie　罪のない［悪意のない］うそを言う

white lie は人の気持ちを傷つけないために言う小さなうそのこと。
たとえば、人からもらったプレゼントがあまり気に入らなくとも、
Thank you so much. I just love it! などと言ったり、あまり好みの
タイプでない相手から誘われた場合に Sorry, I have a previous
appointment.（先約があります）などと言うこと。

　その反対のことばとして black lie（悪意のあるうそ）が載っている
辞書もあるが、こちらはあまり使わない。blatant lie（見えすいた［露
骨な］うそ）や bald-faced lie（あつかましいうそ）といった表現のほう
が一般的。

lip 名 唇（くちびる）

keep a stiff upper lip　何があっても冷静で自分の感情を表に出さない、
何事にも平然としている

直訳すれば「固い上唇を保つ」で、上唇をしっかりと動かさないという
こと。緊張したり動揺したりすると唇が震えるところから。イディオ
ムとして「窮地にあって勇敢にがんばる［動じない、気を落とさな

い]」という意味に使う。

Loose lips sink ships.　不用意にしゃべると、船が沈む。

「不用意にしゃべったことで船が沈められる」は、第2次世界大戦中
に連合国軍が使ったスローガン。loose lip(s) は「（言わなくともい
いことまでぺらぺら話す）口が軽いさま」(overly talkative) の意。

low　形 低い　副 低く

low-hanging fruit　簡単に達成できる事柄［目標］

1960年代の造語。リンゴ園やブドウ園などで、低い位置に垂れ下が
っていて背伸びせずに手に入る果実のイメージから、マーケティン
グ用語として使われる。「容易に達成できる売上目標」や「安易に獲
得可能な新規事業」を指す。

low profile　目立たないこと

profile は「横顔」「半面像」「側面」という意味で、low profile は「目
立たないこと」「人目につかない態度［やり方］」ということ。keep a
low profile（低姿勢を保つ、目立たないようにする）のように用いられる。
Safire's Political Dictionary は、This figure of political speech
probably has a military origin; in tank warfare, a vehicle with a
low profile is less readily identified through binoculars and
presents less of a target for artillery.（この比喩は軍隊の用法から派
生したのではないかと推測される。つまり戦場において車高の低い車両の
ほうが双眼鏡などによって発見されにくく、標的になりにくいところから）
としている。反対は high profile で、「注目を集めていること」「脚光
を浴びていること」「有名」ということ。

• The new ambassador has kept a low profile so far. He says he
believes in "quiet diplomacy."（新任の大使は目立たないようにしてい
る。彼は「静かな外交」を信条としているという）

M&A 合併・買収（mergers and acquisitions の略）

M&A だけですでに複数の概念を表しているので、Ms&As とか M&As とするのは間違い。

　This year there were many M&A. という文は文法的には正しいのだが、何となくおかしく響く。そこで There were many M&A cases. などとするのが一般的である。この場合には、M&A が複数名詞でも形容詞的用法に使える。

　そうした意味では珍しい略語だが、同様な例に Q&A がある。こちらも複数名詞だが、Q&A sheet や Q&A list などと形容詞的用法にも使う。☞ Q&A

man 图 男、人

Clothes make the man. 《ことわざ》身なりは大切。

「だれでも外面を飾れば立派に見える」ことを意味することわざで、「馬子にも衣装」に通じる。しかし、その正反対の Clothes do not make the man. ということわざもある。「衣服は人をつくらず」「人は身なりが問題ではない」ということ。

man bites a dog 人が犬を噛む ☞ dog

man cave 《俗》男の隠れ家、男性専用の(小)部屋 ☞ cave

man's best friend （犬を指して）人間の最良の友

「人間の最良の友」だが、このフレーズは「犬」を意味する。

• Well over half of American households own a pet. Man's best friend is still the No. 1 pet choice, but many people go for cats too.（アメリカの家庭の優に半分以上がペットを飼っている。犬はまだペットの第1位に選ばれているが、猫を選ぶ人も多い）

one-man 图 1人だけの、1人だけから成る、1人だけで行う ☞ one

-man 接辞 …の人、…に従事する人

アメリカでは、1970年代から80年代にかけてジェンダー区別のないことば遣い（gender-neutral language）の動きが広がり、salesman や chairman、spokesman がそれぞれ salesperson、chairperson、spokesperson などと呼び名が改められた。アメリカの女性映画監督の Ellen Cooperman が Cooperperson への名前の変更を裁判所に申請して認められたのは1978年。

　-man をただ -person と言い換えるだけでなく、新しい用語も生まれてきた。たとえば mailman は mail carrier または postal worker に、policeman は police officer になった。waiter / waitress は server / waitstaff に、steward / stewardess は flight attendant / cabin attendant に。mankind は humankind に。manhole も一部地域では maintenance hole と呼び名が変わった。

　chairman / chairperson や anchorman / anchorperson はそれぞれの語の一部をとって chair、anchor とも呼ぶようになった。

　また actor / actress、host / hostess、hero / heroine、author / authoress、poet / poetess などと男性形、女性形がある場合には男性形を使うのが一般的になっている。

mob ❶ 名《俗》連中、一団、仲間

通常は「（破壊的行動をしかねない）暴徒」を集合的に指すことばで、単なる「群衆」の crowd とは区別する。しかし、俗語では「（仲間の）一団」といった意味で、Millennial mob（2000年世代）などと使う。同様に gang も、通常は「（犯罪その他の反社会的な目的で結びついた）ギャング［暴力団］」を意味するが、「（同じ職場で働く従業員などの）一団」を指すこともある。同僚たちに対する呼びかけのことば（Hi, gang! It's a beautiful Monday morning.）としても使う。

mob scene は「大混雑する場所」「押し合いへし合い」のこと。

•The department store closeout was a mob scene by 9：30 a.m. (そのデパートの閉店大売り出しは、午前9時半には大混雑の様相を呈した)

❷ 動 群がり集まる

動詞の mob は「群がり集まる」「殺到する」ということ。

•Customers mobbed stores for the midnight sale of a new computer game device. (新しいゲーム機の真夜中の発売を目当てに、お客が店に殺到した)

mom 名 ママ、お母さん

mom-and-pop store　夫婦[家族]経営の商店、個人商店

単に mom-and-pop あるいは ma-and-pa とも言う。夫婦あるいは家族だけで経営する食品雑貨店やドラッグストアのような小さな店のことだが、小規模なレストランや書店、自動車修理工場なども指すことがある。

mud 名 ぬかるみ

stick-in-the-**mud**　名 古風で頭の固い人、面白みのない人

文字どおりには「ぬかるみにはまる」の意味で、「がんこなまでに変革や革新を嫌う人」を指す。be stuck in the mud は「(車などが)ぬかるみにはまり動けない」ということ。

mug 名 マグカップ 動 襲う、強奪する

be **mugged**　(路上などで)襲われて金品を奪われる

名詞は mugging だが、相手がピストルを持っている場合などには holdup とか stickup とも呼ぶ。路上などでこうした犯罪の被害に遭った場合には、抵抗せずに落ち着いて、持っている金品を差し出

すのが身の安全を図る方法とされる。ただ、金目の物を何も持って
いないとかえって危険なので、そうした場合に備えて100ドル程度
の紙幣をポケットにいつも入れておき、万一の場合にはそれを使う
ようにと、アドバイスされることがある。

new   形 新しい

80 is the new 60. （知力・体力などにおいて）今の80歳はかつての60歳
に匹敵する。

同様に、60 is the new 40. も「今の60歳はかつての40歳」で、今の
60歳はかつての40歳と同じくらい元気である、ということ。Life
begins at 40.（人生は40歳から）はことわざ。

年齢以外にも、Sugar [Salt] is the new tobacco. は、「砂糖［塩］
は今ではタバコと同じくらい危ないとされる」、Salt is the new sugar
[fat, carbs, gluten]. は「塩は砂糖［脂肪、炭水化物、グルテン］と同
じくらい危険」のように使われる。

new kid on the block 《口》新入り、新参者

「新しく近所に引っ越してきた子」から、新入社員や転校生を指す。
1940年代からアメリカの口語で使われてきた。

new normal 新たな常識［常態］

2007年に始まった世界金融危機とそれに続く大不況（Great
Recession）のあとの「世界的な金融不安・不況の時代における新たな
常識・基準」という意味で、流行語的に用いられた。現在は、「以前は
珍しかったり異例だったりする状況が、標準的で普通になっている
こと、当然だと考えられるようになっていること」を意味するフレー
ズとして、広く用いられている。

• Constant connectivity is the new normal.（常時インターネットに
接続されていることが新しい常識［常態］だ）

• Working from home, at least a couple of times a week, is the new normal for many of us.（少なくとも週に2、3回在宅勤務をするのが、多くの人の新しい日常である）

• Nine out of ten public schools in the U.S. now train students and teachers how to respond to mass shootings. That's become the new normal, I'm sorry to say.（今では、アメリカの公立学校10校のうち9校が、生徒と教師に銃の乱射事件への対処方法を訓練している。残念だが、それが新しい常識になっている）

nothing **new** under the sun　太陽の下に新しいものなし　☞ sun

something old, something **new**, something borrowed, something blue　古いもの、新しいもの、借りたもの、青いもの　☞ old

nip　動 摘み取る

nip something in the bud　…を未然に防ぐ

nip the bud は「（花を）つぼみのうちに摘み取る」ということで、nip something in the bud は比喩的な意味で「大事に至らないうちに…を未然に防ぐ」ということ。

nix　動《口》だめにする、ふいになる、禁ずる、拒絶する

Pix **Nix** Tax Fix　写真、税不正をあばく

ジャーナリズムの教科書に載っている有名な見出しである。これは3文字の単語だけを4つ使い、しかもいずれも x で終わっている。事件は、ある農家が作付け面積を税務署に過少申告していたのが、航空写真（pix）によってバレてしまったというもの。

nod　動 うなずく、うとうとする　名 うなずき、居眠り

Land of **Nod**　ノドの国

in the Land of Nod は「眠りの国［世界］に入って」から「眠りについて」ということ。Nod は旧約聖書の『創世記』（Genesis）に出てくる

「ノドの国」のことで、カインがアベルを殺害した後に移り住んだと言われる「エデンの東」(East of Eden) にある地のこと。nod には「(眠くて)こっくりする、舟をこぐ」という意味があるところからの一種のしゃれ。似たような表現に in the arms of Morpheus がある。ギリシャ神話においてモルペウスは「夢の神」の名前。

•I'm barely awake at 7. I like to spend my pre-sunrise hours in the Land of Nod. (私は7時にはかろうじて目を覚ましている。日の出前は、眠っていたい)

nod off　居眠りする

「こっくりする」という意味では現代では nod off を使うのが一般的。(Even) Homer sometimes nods. は、「偉大な詩人も居眠りすることはある」から「弘法も筆の誤り」「猿も木から落ちる」に相当することわざ。Homer とは『イリアス』(*Iliad*) と『オデュッセイア』(*Odyssey*) の作者で古代ギリシャの詩人ホメロスのこと。ホメロスのような偉大な詩人でも、たまには居眠りする、居眠りでもしたような凡作をつくる、ということ。

non- 接辞 …(で)ない

no-**non**sense　形 現実的な、有能な ☞ no

non-binary　形 ジェンダー区別のない

ハイフンなしで nonbinary とも書く。LGBTQ+ などで表される性的マイノリティの権利を尊重しようという動きから、「男性か女性か」「1か0か」という binary (二者択一性) の考え方から脱却した用語。「ジェンダー区別のない」という意味の形容詞としては、gender-neutral, gender-fluid, genderless なども使われる。

なお「ジェンダーフリー」は、本来の英語ではない。-free は、ハイフンの前にある物質、要因など通常は望ましくないものが「ない」ことを意味するものだから。「ジェンダー」の種類はたくさんあるが、ジ

エンダーのない agender を自認する人たちもいる。

non-U.S. 形 アメリカ以外の、（アメリカ人にとって）外国の

アメリカにおいて foreign を言い換えた語。

　世界初の24時間放送のニュース専門チャンネル CNN を1980年に創業した Ted Turner は、当初 foreign を放送禁止用語とし、使った場合には50ドルの罰金を徴収すると宣言したと言われる。foreign という語には us vs. them（自分たち対よそ者）と、排他的・差別的に違いを強調する響きがあり、国際的なテレビ局にそぐわないと考えたのである。

　代わりに non-U.S. や international などを使うことになったので、「外国人留学生」は foreign student ではなく international student と呼ばれる。大多数の大学の入学案内などでも、今では一般的にそう記載されている。例外は foreign exchange（外国為替）、foreign minister（外務大臣）、foreign reserve（外貨準備高）など、慣用的に代替が利かないフレーズ。

　foreign や foreigner は、現在は CNN では放送禁止用語ではないが、現代の国際的なビジネス環境においては使用を避ける傾向にある。

not 副 …（で）ない

believe it or not 信じられないだろうが、信じようが信じまいが

直訳すれば「信じようと信じまいと」ということだが、「こんなことを言っても信じないかもしれないが」と聞けばびっくりするような事柄を話す時に用いる表現。文頭あるいは文末に置き、Believe it or not, I've never eaten steak.（信じられないかもしれないが、私はステーキをまだ食べたことがない）のように使う。挿入句的に文中に置くこともある。

• Kimi speaks impeccable English. But he's never been overseas, believe it or not.（キミは完璧な英語を話すけれど、一度も海外に出たことがない。信じられないかもしれないが）

not for everyone　すべての人に向いているわけではない

- Camping is not for everyone. Some people may have safety concerns.（キャンプ生活は万人向きではない。安全面で不安を感じる人もいるだろう）

- Honestly, it's not for everyone.（正直に言えば、万人向けではない）（＊これは、観光地としては50州の中で最下位に位置することが多いネブラスカ州が2018年から使っているスローガン。ほかの州が自分たちの誇りとする利点を掲げているのに対して、やや自虐的に「万人向けではない」と正直に認めたもの）

not in my backyard　うちの裏庭にはだめ

「必要性は認めるが、自宅の近くに作られるのは嫌だ」ということで、1980年代ぐらいから使われるようになった。not in my backyard の頭字語（acronym）の NIMBY から派生した nimbyism は「住民エゴ」「地域エゴ」のことで、原子力発電所、軍施設、刑務所、ごみ処理場、麻薬患者更生施設など、自分（近隣住民）にとって好ましくないと思われるものが近所に設置されるのは反対、という態度や考え方を指す。

not think twice about　…をためらわない

think twice は「考え直す」「再考する」「よく考える」「熟考する」のことで、think twice about [before] doing something のように用いる。その否定形の not think twice about は、「…について躊躇しない」「…をためらわない」「…を当然のことと思う」といった意味で用いられる。

- When it comes to helping a friend in need, Kathy would not think twice about offering her help.（困っている友を助けるとなれば、キャシーは援助を申し出ることに二の足を踏まないだろう）

not to change the subject   話は変わりますが、それはそうと

直訳すれば「話題を変えるつもりはないが」だが、but などと続けて、実際には話題を変える時に用いるフレーズ。こうした場合に使えるものとしては、ほかに by the way や incidentally がある。ストレートに「話題を変えたい」と言いたい時には、On an entirely different matter, ... とか Allow me to sidetrack a little bit, but ... などと切り出す方法もある。

not unhappy with   …をよしとする、…は嫌ではない

not と、否定や反対の意味を表す接頭辞 un- で始まる語を合わせた二重否定。消極的な肯定の意に用いる。ほかにも、not と ir-、in-、non- などの接頭辞のついた語で同様な意味を表すことがある。

• Although the project didn't meet all our expectations, we are not unhappy with its outcome.（そのプロジェクトは期待どおりではなかったが、結果に不満ではない）

• My boss is not infrequently late.（私の上司が時間に遅れるのは珍しいことではない）

• No one is infallible.（絶対に間違いを犯さない人はいない）

• Meg is not unfriendly. She's only very shy.（メグは不愛想なのではない。ただとても恥ずかしがり屋なのだ）

Waste **not**, want **not**.   無駄がなければ不足もなし。☞ want

off   副 離れて 前 …から離れて、…から外れて

Everyone has their **off** days.   だれにでも何をしてもうまくいかない日がある。

off day とは「何をしてもうまくいかない、あるいは失敗ばかりしてしまうような日」「厄日」のこと。

　この文では主語は単数の everyone で、それを has と 3 人称単数現在の形で受けている。そしてそれに続く代名詞は his あるいは his

or her [his/her] となるのが文法的に正しいとされてきたのだが、he
で代用すると性差別とされるし、毎回 his or her とするのも煩<ruby>煩<rt>わずら</rt></ruby>わし
い。そのため、現代では特に口語において、everyone をこのように
複数の代名詞（they, their, them）で受ける傾向が広がってきている。
☞ they（singular they）

off-putting 　形　不快な、嫌な

「不快にさせる」「反感［嫌悪感］を覚えさせる」を意味する句動詞の
put off から。

off the record　　オフレコで、非公開［非公式］で

記者会見などで、記録や公表をしないことを条件に話をすること。ま
た、そうした条件でする発言。「これから先の話はオフレコに」と言
われれば、ペンを置きメモを取らない、録音・録画をしている場合に
はオフにすることが原則。社会的に重要な発言の場合にはオフレコ
が受け入れられずに、そのまま報道されることもあるし、ソーシャル
メディアでは発信源が不明な発言が独り歩きすることもある。形容
詞として off-the-record を用いることもある。反対は on the record
（オンレコで）。

on-again, **off**-again　　断続的な、変わりやすい ☞ on

well-**off** 　形　裕福な、金持ちの ☞ well

old 　形　古い

(as) **old** as the hills　《口》とても古い

hill は「丘」「小山」のことで、mountain より低いものを指すが、この
フレーズは「（大昔から変わらぬ姿で存在している）小山のように古
い」「非常に古い」ということ。

Call me **old**-fashioned, but ...　古くさいと思われるでしょうが…、
時代遅れだと言われようとも…

old-fashioned は「時代遅れの」という意味もあるが、「昔かたぎの」

「保守的な」という意味で使われることもある。

• Call me old-fashioned, but I'm going to stick with my type-writer.(時代遅れと言われようとも、私はタイプライターを使い続けるつもりだ)

• We make money in an old-fashioned way — by working hard. (私たちは古くさいやり方でお金を稼ぎます――一生懸命仕事をすることによって)

Old habits die hard.　古い習慣はなかなかなくならない。☞ die

old hat　《口》時代遅れの(もの)、古くさい(もの)　☞ hat

old school　保守派、伝統主義者たち

one's old school と言えば「母校」「出身校」のことだが、the old school で「保守的な人たち」「伝統主義者たち」といった意味になる。

oldster　图《口》高齢者、老人

人によっては否定的な響きのあることばと受け取る場合もある。youngster(若者)からの類推で生まれたのだが、ほかの -ster という接尾辞を持った語は、gangster(ギャング)、punster(しゃれを言う人)、spinster(婚期を過ぎた独身女性)などのように多少侮蔑の意を含んでいる。

　集合的に「老人」を意味する語は、the old、the aged、the elderly、the longer living など。形容詞としては、senior のほかに mature や seasoned がある。「老後」の意味の golden years(日本語の「シルバーエイジ」に相当)から golden-ager という語もある。

something **old**, something new, something borrowed, something blue　古いもの、新しいもの、借りたもの、青いもの

結婚式で花嫁が身に着けると幸せになれるとされている、4つのもの。近年は日本でも、ブライダル産業の宣伝によって「サムシング・フォー」などとして知られるようになった。something old は何か1つ思い出深い古いもので、花嫁の過去を表す。something new はカ

ップルの今後の幸せな未来を表し、これから始まる新生活を象徴する
ような新しいもの。something borrowed は幸せな結婚生活を送っている 友人 や 親族 などから 借りたもの。something blue は
fidelity and love（貞節と愛）を表す。青いものならば何でもいいので、
wedding dress にブルーの刺繍を入れたり、花嫁の持つブーケにブルーのラッピングをしたり、青いリボン飾りをつけたものを用意したりすることが多い。

one ❶（基数詞の）1、1つ

❷ 形《米》《口》（後続する形容詞を強めて）ものすごく、本当に

one fine executive は「本当に有能なエグゼクティブ」ということ。

• Marie is one wonderful pianist.（マリーはそれはもう素晴らしいピアニストだ）

one after the other   次々に、次から次へと

通例2つのものについて言う。2つの事柄の1つを終えてもう1つへ、といったニュアンス。一方、one after another は「（3つ以上のものが）次々に、順々に」という場合に使う。本来両者にはそのような区別があるが、実際の会話の場面では、厳密な使い分けはなされていない。

one-man   形 1人だけの、1人だけから成る、1人だけで行う

日本語の「ワンマン」のような「独裁者的な」のような意味はない。「ワンマンバス」も和製英語で、英語では conductorless bus（車掌のいないバス）が普通。one-man band は「1人楽団」で「1人で何種類もの楽器を演奏するミュージシャン」のことだが、「ほぼ1人がすべての仕事を取り仕切っているような小さな会社組織」のことも意味する。

one-off   形 1回限りの

もともとはイギリス英語だったものが、今ではアメリカ、カナダにお

いても広く使われている。one-shot も同じ意味。

one-size-fits-all solution　万能な解決策

one-size-fits-all は和製英語の「(どんな大きさの体にも合う) フリーサイズの」の意味。形容詞として、衣服だけでなく solution や common sense、education についても用いられる。「確実な解決法」という意味のことばとしては、silver bullet がある。これは、魔物 (＊狼男や吸血鬼など) を退治するために「銀の弾丸」を使うという俗信に由来すると言われている。

one-stop　形 1か所で何でもそろう

当初はスーパーマーケットやモールなどが宣伝文句として使っていた。現在では金融機関や広告会社も、それぞれ「証券から貯蓄までの各種金融商品」「広告から PR や販売促進などのサービス」をそろえているという意味で使っている。

party of **one**　お1人様、1人組

party は「一行」「一団」の意で、通常はそのあとに複数の名詞が続いて a party of two [three, four, etc.] となるのだが、solo living (独り暮らし) の人の solo diner (単独の食事客) が増えてきたために、party of one も使うことがある。レストランで1人の予約を入れる場合には、I'd like to book a table for a party of one. などと言う。

opt　動 選ぶ、選択する

opt to のあとには動詞、opt for のあとには名詞がくる。

• More and more people opt to keep working after they turn 65. (65歳になってからも働き続けることを選択する人がますます増加している)

• Some seniors opt for retirement communities that give them a certain degree of independence, with professional caregivers on staff to look after them as needed. (ある程度自立した生活ができて、

必要な時にはスタッフであるプロの介護士の世話になれる、退職者向け居住地を選択する高齢者もいる)

opt out of   …しないことを選択する

A Concise Dictionary of New Words によると、「…しないことを選択する」という意味の opt out of は、1980年代の後半あたりから使われるようになってきたフレーズ (to choose not to participate (in something). Much heard since the later eighties...)。

• Women are increasingly opting out of marriage, alarming sociologists who are concerned about the declining population. (女性はますます結婚を選択しなくなっていて、人口減少を心配する社会学者を不安にさせている)

out 副 外で、外へ、外れて、なくなって

black**out** 名 停電、一時的な意識［記憶］喪失

「(空襲に備えた)灯火管制」の意味でも使う。news blackout は「報道管制」のこと。節電などのための減灯や「部分的な停電」(a partial blackout) は brownout と言う。なお、句動詞の black out には「黒で塗りつぶす」「明かりを消す」「一時的に意識を失わせる」などの意味がある。

come **out**   カミングアウトする ☞ come

ins and **outs** of   …の詳細、…の一部始終 ☞ in

out of bounds   定められた境界を越えて、立ち入り禁止 (区域) で

スポーツにおいて「(ボールが) コース外 [プレー禁止地域] に出て」を意味し、ゴルフ用語では、OB と略す。一般的に英語では「節度を越えて」「礼儀を逸脱して」「非常識で」(overstep bounds) などの意味で使う。

out-of-the-way spot   人目につかない場所

out-of-the-way restaurant [inn] と言えば、「穴場のレストラン [宿]」「隠れ家的レストラン [宿]」のこと。restaurant off the beaten track

［path］は同じような意味で、「踏み固めた道を外れたところ［へんぴ な場所］にある、よく知られていないレストラン」のこと。

out of this world　とてもすばらしい、天下一品で、すてきな

「この世のものとは思えない（くらい…である）」「最高にすばらしい」 「天下一品で」という意味。

• The pumpkin pie here is out of this world. (ここのパンプキンパイ は天下一品だ)

out of work [a job]　失業して

「職にあぶれて」「失業中で」という意味だが、婉曲的には between jobs とも言う。次の仕事が見つかるまでの「仕事と仕事の合間」とい った感じ。ほかにも「失業」を意味するフレーズには unemployed、 jobless、collecting unemployment benefits、without gainful employment などがある。「失業している」ということをはっきり言 いたくない時の婉曲表現で、I'm on an extended vacation. / I'm on sabbatical. / I've decided to explore a new horizon. などと言 うことができる。

strike **out**　《米》《口》失敗する、うまくいかない

Three strikes and you're out. は「三振でアウト」のこと。野球の用 語になぞらえて、重罪を3回繰り返した者を終身刑を含む重い刑に 処する法律を three-strikes law と呼ぶ。ワシントン州で1993年に 最初に実施され、現在では全米20州以上で導入されている。

The jury's still **out** on ...　…に関してはまだ結論は出ていない。…に ついては何とも言えない。☞ jury

owe　動 借りる

owe more than what one owns　自分が所有するものよりも多く の債務を抱えている

owe は「借りる」という動詞で、「借金をする」という意味と「恩恵な

どを負う」という2つの意味がある。owe $10,000 in student loans は「1万ドルの学生ローンを借りている」ということ。何かをしてもらって「恩に着るよ」「あなたに借りができたね」の意味では I owe you. と言う。またこのフレーズと同じ音の IOU は名詞で「借用証書」のこと。

own 動 所有する

own a project　プロジェクトを仕切る

own は「所有する」ということだが、ビジネス用語としては「(責任者として)取り仕切る」という意味で使う。Who has the ownership of this project? は「この企画の責任者はだれですか」ということ。

pal 名 友人、仲間

通例、男性同士の友達や仲間を指す。high-school pal は「高校時代の仲間」、golf pal は「ゴルフ仲間」。イギリス英語の pen friend はアメリカでは pen pal と言う。☞ pen (pen pal)

par 名 同等、標準

par はラテン語で equal (等しい) の意味だが、ゴルフ用語としては「基準打数」を意味する。ゴルフで shoot par といえば「パーを取る」ということ。

up to par　基準 [標準] に達して

above par、at par [on a par]、below [under] par のフレーズは、それぞれ「標準以上で」「標準で」「標準以下で」といった意味で使われる。par for the course は「当たり前のこと」「普通のこと」「よくあること」の意。subpar は「普通以下の」「期待された以下の」。

• The new employee's performance is not up to par. He needs to improve his productivity and attention to detail. (この新入社

員の業績は基準を満たしていない。生産性と細部への注意を改善する必要がある）

• Regrettably, your presentation just wasn't up to par. It was disorganized and there was no clear point.（残念ながら、あなたのプレゼンテーションは標準以下だった。きちんと整理ができていなかったし、明白なポイントがなかった）

pat 動名 軽くたたく（こと）

pat on the back   称賛のことば

「称賛のことば」の意。pat (someone) on the back と言えば、「（人）の背中を軽くたたく」ということだが、励ましや勇気づけなどのために、人の背中、特に肩に近い部分を軽くたたくことからの比喩で、口語では「（人）を褒める［励ます］」あるいは「（人）を慰める」という意味になる。

• A pat on the back can boost morale and encourage employee engagement.（称賛のことばは士気を高め、仕事に対する従業員の積極的な関わりを後押しする）

pay 名 給与、支払い 動 支払う、割に合う、もうかる

Crime doesn't **pay**. Does that mean my job is a crime?

犯罪は割に合わないものだ。私の仕事は犯罪ということか？

Crime doesn't pay. はことわざで、「犯罪は割に合わない」ということ。ここでは pay は「もうかる」「骨折りがいがある」といった意味だが、pay には「給与［報酬］を支払う」という意味もあるので、「だったら、安月給の私の仕事って犯罪なのかな」というぼやきである。

　　Nationalize crime. Make sure it doesn't pay.（犯罪を国有化しよう。必ずそれが割に合わないものになるように）は、世界中で国営企業は利益を上げていないところが多いので、「犯罪を国有化すれば割に

合わなくなる」ということ。

down payment　頭金 ☞ down

pay it forward　恩送りをする、人から受けた恩を別の人に返す

自分が受けた善意や思いやりをほかの誰かにわたすことによって、善意をその先につないでいくこと。善意を与えてくれた本人に直接恩返しをするのではなく、ほかの誰かに善意を送るのである。日本では、江戸時代からそうした考え方があったようで、「恩送り」と呼ばれている。

　このフレーズは、アメリカの作家 Catherine Ryan Hyde の小説 *Pay It Forward*（邦訳『ペイ・フォワード』角川文庫）、および2000年製作の同タイトルの映画（邦題『ペイ・フォワード　可能の王国』）から生まれた。この映画では、主人公の少年が自分が受けた思いやりや善行を、その相手にお返しするのではなく、別の3人にわたすというもの。そしてその3人が、さらに別の3人に「親切」をパスするというもの。こうして善意の輪が無限に広がっていく。

pay off　（借金など）を完済する、払い終える、成果を上げる、うまくいく

pay off one's debt［mortgage］で「借金［住宅ローン］を返す」ということ。

•It took 18 years for me to pay off my student loans. Then my son was ready to go to college.

（私が学生ローンを完済するのに18年かかった。その時には息子が大学に行く年齢になろうとしていた）

　pay off は「成果を上げる」「うまくいく」という意味でも使い、Hard work pays off in the end.（一生懸命仕事をすれば、最後には報われる）のように用いる。pay off old scores はイディオムで、「積もる恨みを晴らす」ということ。

　また、payoff と1語でつづる名詞は「報酬」「見返り」のほかに「口止め料」「わいろ」という意味もある。

•Hard work has a future payoff. Laziness pays off NOW.
（勤勉に働けば将来必ず報いがある。怠惰は今すぐ報われる）

take-home **pay**　手取りの給料

単に take-home とも言う。「税込みの給与額」は tax-inclusive pay、gross pay、pay before tax など。「課税所得」は taxable income で、「総所得」は gross income である。

peg 　名 くぎ

a square **peg** in a round hole　不適合者、不向きな人

文字どおりには「丸い穴に四角いくぎ」ということである。*Merriam-Webster.com Dictionary* は someone who does not fit in a particular place or situation（ある場所や状況に適合しない人）と定義し、She felt like a square peg in a round hole at the new school until she made some new friends.（新しい学校で新しい友達が何人かできるまで、彼女は不適合者のような気分だった）という例文を挙げて説明している。

pen 　名 ペン

pen pal　《米》ペンフレンド、文通友達

Merriam-Webster.com Dictionary は a friend made and kept through correspondence（文通を通じて知り合い、つながっている友）と定義している。*Oxford Advanced Learner's Dictionary* には often somebody you have never met とあるので、「まだ会ったことのない相手」という語感がある。イギリス英語では pen friend を使う。
☞ pal

The **pen** is mightier than the sword.　《ことわざ》ペンは剣よりも強し。

「文の力は武よりも強い」「文は武に勝る」ということから、「言論の

力は、軍隊などの武力・暴力よりも人々に大きな影響を与える」という意味の格言。

pen [名]囲い

Ten, ten, ten / Pigs in the **pen**

イギリスの古い数え歌から。この pen は筆記用具の「ペン」ではなく、「囲い」(enclosure) を意味する。pig pen は、農家などでブタを入れておくための囲い、豚小屋のこと。同様に sheep pen、chicken pen、cattle pen はそれぞれヒツジ、ニワトリ、家畜を入れておくための囲いや小屋の意味。

> ### 「囲い」としての pen
>
> bullpen は、もともとロデオなどで、競技場に出て行く前の bull（雄牛）を入れておく場所のことだったが、野球で投手がピッチング練習をするところの意味でも使われるようになった。また、現代のビジネス用語としては、個室ではなくオープンなワークスペースのことを意味する。個々のデスクや、cubicle と呼ばれるパーティションで仕切られた小部屋が並ぶオフィスフロアを表す。
>
> playpen は、乳幼児や幼い子供が安全に遊ぶための小さな閉じられたエリア。通常、子供に危険がないようにするためにメッシュやネットを素材として用い、外からの視界と通気性を確保する。日本では「ベビーサークル」と和製英語で呼ばれているもので、「ひとり立ちが出来るようになった赤ちゃんを安全に遊ばせておくための組立式の囲い」（『新明解国語辞典』より）のこと。

per 前 …ごとに、…につき

per capita 《ラテン語》1人あたりの

by heads を意味するラテン語。per を使った語句はほかにも percent（100に対して）、per annum（1年につき、1年ごとに）、per diem（1日につき、日割りの、日当）、as per（…にしたがって）などがある。☞ a

pet 名 ペット、愛玩動物

動物愛護家は pet という語を避けて companion animal や animal companion を使う傾向にある。pet には、単に人間が一方的にかわいがる「愛玩用動物」というニュアンスがあるが、「人と動物の関係学」という新しい学際的な研究から生まれてきた companion animal という考え方には動物を「所有する」master や owner ということはない。動物を、人間と共に暮らす「仲間」「伴侶」（companion）として扱い、人間は human companion、pet parent、guardian、steward などと呼ぶ。

pet peeve 不平の種、いちばんいやなこと

pet は「お気に入りの」という意味の形容詞、peeve は「じらすもの」「いらだち」という意味の名詞（＊「怒りっぽい」「気難しい」という意味の形容詞 peevish からの逆成語）。

• It seems nail-clipping in the workplace is a pet peeve for more than a few coworkers.（職場でつめを切るのは、かなり多くの同僚にとって嫌なことのようだ）

pie 名 パイ

〈as〉American as apple **pie** 《米》（アップルパイのように）いかにもアメリカ的な

「アップルパイ」はアメリカ的な価値観の象徴である。apple pie は

アメリカで生まれたわけではないが、この表現は伝説的な実在の人物 Johnny Appleseed（本名 John Chapman）とも関係があると考えられている。彼は、アメリカ初期の開拓者の1人で、18世紀末から19世紀初めにかけて中西部一帯にリンゴの木を植えたことで知られている。

pie chart　円グラフ

パイの形をしているところから。「棒グラフ」は bar chart と呼ぶ。

pie in the sky　絵空事、夢物語、絵に描いた餅

形容詞として pie-in-the-sky も使う。pie と sky が韻を踏んでいる。

• While the idea of a world without poverty and hunger is desirable, some skeptics consider it to be just a pie in the sky.
（貧困や飢餓のない世界という考えは望ましいのだが、一部の懐疑論者はそれを夢物語だと考えている）

Promises are like **pie**-crust, made to be broken. 《ことわざ》約束はパイの皮のようで破れやすいもの。

pie-crust promise は「簡単にして簡単に破る約束」（a promise easily made, easily broken）のこと。

pig 图ブタ

アメリカ英語で pig は特に「子ブタ」のこと。成長したブタは hog と呼ぶ。

pig-out　图《米》《俗》大食い、食べすぎ

句動詞の pig out は「ブタ」からの連想で、「（…を）大食いする［がつがつ食べる、かき込む］」ということ。たとえば pig out on pizza は「ピザを大食いする」の意味。

pix 图複 写真（pictures の略）

単数の picture の略は pic である。元々は米ジャーナリズム用語で、

見出しによく使われた。1930年代当初には「映画」(motion pictures または films) に関して使われたが、やがて写真 (photographs) の意味で使われるようになった。

pod 名 豆のさや

比喩的に豆の形に似たものや小さなサイズのものも指す。

sleep **pod** スリープポッド、仮眠用スペース

sleeping pod とも言い、企業によっては energy pod などと呼ぶところもある。短時間の仮眠ができるスペースのこと。簡易ベッド状で横になることができ、頭の周りは明かりを遮断できるようになっているものもある。

pop 動 飛び出る、ポンとはじける

本来擬声語で、「ポン [パン] という音をたてる」「ポンと鳴る」ということ。

pop-up 形 飛び出す方式の

pop-up book (飛び出す絵本) (*ページを開くと絵が立体的に出てくる) や pop-up toaster (自動トースター) (*パンが焼き上がるとトースターから飛び出す) のように用いる。レストランやお店、展示場などについて言う場合には、「期間限定でオープンしている」(intended to remain open for business only temporarily — *The American Heritage Dictionary of the English Language* オンライン版) という意味である。また、pop-up party とは、倉庫や屋上、廃墟のような型破りな場所で、突然開催されるイベントのこと。パーティーの場所や詳細は、直前まで秘密にされたり、参加表明をした人だけに公開されたりすることが多い。

PPE 個人用防護具 (personal protective [protection] equipment の略)

医療現場において危険な病原体から医療従事者を守るための「個人

用防護具」のこと。特に gloves、gown、mask、face shield、goggles、shoe cover などを指す。personal protective equipment は1934年から、PPE は1977年から医療関係者の間で使われていることばだそうだが、一般の人がこれらの語を目にしたのは2020年になってからであろう。

　equipment は集合名詞で複数形にしないが、PPE については PPEs という複数形も使われる。

pre- 接辞 以前の…、前の…

preindustrial era　産業革命以前の時代 ☞ era

pre-owned　形《婉曲》中古の

「以前にだれかが所有していた」ということ。secondhand の意。アメリカの中古車販売業者（used car dealers）が1964年ごろから使い始めた婉曲語。

pro 前 …のための、…に賛成して

pro bono　公共の利益のための

ラテン語の pro bono publico（公共の利益のために）を略した言い方。「個人の利得のためではなく、地域社会全体の利益のためになされること」（anything that is done for the benefit of the community at large rather than for the sake of private gain — *Making Sense of Foreign Words in English*）ということで、主に料金を受け取らずに物や時間などを寄付・提供する行為を意味する。

pro forma exercise　形式的な儀式［演習］

ラテン語のフレーズで、pro forma は「形式上の」「形だけの」（for form's sake）ということ。pro forma invitation（形式だけの招待）などと用いる。副詞句としても用い、The president made an apology pro forma. は「社長は儀礼的な［形式だけの］謝罪を述べた」という

意味である。

pro-life and **pro**-choice　妊娠中絶に反対と賛成の

pro-life は胎児の生命を尊重する立場。受胎を契機に生命が誕生すると考えて、人工妊娠中絶を殺人とみなし、中絶せずに NPO などへ養子に出すことを主張する考え方。

　その反対の立場の pro-choice は、妊娠中絶の選択を尊重し、妊娠中絶合法化に賛成の考え方。アメリカでは現在、妊娠中絶に関する世論で賛否が大きく分かれている。

pun　[名]（同音異義による）だじゃれ、しゃれ、語呂合わせ

「おやじギャグ」は daddy [dad] joke で、「しゃれが上手な人、よくしゃれを言う人」は punster と呼ぶ。

No **pun** intended.　しゃれのつもりではありません。

意図せず偶然にしゃれになってしまった時の言い方である。たとえば、Farm-to-table living seems to be taking root around the country.（地産地消生活は全国で根付いているようだ）など。この文での take root は考えや制度などが「定着する」ということだが、「植物が根をおろす」という二重の意味を持っているので、意図せず偶然にしゃれになってしまった、ということ。このようなものを accidental pun と言う。

Pardon the **pun**.　だじゃれを許して。だじゃれで失礼。

日本語の会話ではだれかがだじゃれを言うと、周りの人が笑ったり、座が白けたりすることがあるが、英語の会話では、だじゃれを言った本人がちょっと恥ずかしそうにして、Pardon the pun. などと言うことがある。欧米では、A pun is the lowest form of wit [humor].（だじゃれは最低のウィット[ユーモア]）などと言って、だじゃれを多少見下すような風潮があるからかもしれない。

put 　動 置く、…にする

Let me put it this way. 　つまりこういうことです。言い方を変えてみ
ましょう。

> put it simply は「端的に言えば」ということ。put it formally は「改
> まって言えば」「形式ばった言い方をすれば」、put it mildly は「穏や
> かな言い方をすれば」「控えめに言えば」という意味になる。

put off 　先延ばしにする、延期する

> 予定などを延期する際に用いる一般的な句動詞である。ほかには、
> postpone や delay などがある。

> ### 「明日に延ばすな」
>
> Don't put off until tomorrow what you can do today. (き
> ょうできることを明日に延ばすな)
>
> 　これにはいろいろなパロディーもある。たとえば、Don't
> put off until tomorrow what you can avoid altogether. (や
> らなくて済むことを明日まで延ばすな)とか、Good executive is
> one who never puts off until tomorrow what he can get
> someone else to do today. (優秀なエグゼクティブとは、きょう
> だれか他人にまかせられることを明日まで持ち越さない人)など。

put one's money where one's mouth is 　口先だけでなく実行
する、口だけでなく金も出す

> 　直訳すれば「口があるところにお金を出す」だが、言ったことを実行
> したりサポートしたりするために、お金を出す、お金を使う、あるい
> は何らかの行動を起こすという意味。つまりことばだけでなく、約束
> を実行すること、実現のために行動に移すことの重要性を強調する
> 表現である。

put one's shoulder to the wheel　みんなで力を合わせて懸命に努力する［取り組む］

直訳すれば「みんなで車輪に肩をあてがう」で、ぬかるみにめり込んだ馬車を力を合わせて引き出すということからきた言い方。「みんなで本腰を入れる」「目標に向かってせっせと働く」という意味で使う。

put someone out to pasture　《口》(人)に現役を引退させる

pasture は「牧草地」「放牧地」のことで、put out to pasture は「牧場に放す」というところから、「老齢になった競走馬を引退させて放牧する」という意味がある。そこからの類推で口語では、「現役を引退させる」あるいは「閑職をあてがう」という意味でも使われる。

Put up or shut up.　行動を起こすか、黙るか。

「行動を起こすか、黙るか、どちらかにしろ」という意味で、口先だけで行動しない人に対して、戒めの意味合いを込めて言う文言でもある。put up には「我慢する」という意味もあるが、このフレーズでは put up a stake のことで「賭ける」という意味。ボクシングの試合に関連して19世紀中ごろに生まれた表現とされている。「金を賭けろ、さもなければ黙っていろ」ということ。

　　Shit or get off the pot.（排便するか、そうでなければ便器からどけ）も同様の意味のイディオムである。

Q&A　質疑応答

Q&A は、辞書によって questions and answers の略となっているものと、question and answer の略となっているものがあるが、意味としては an exchange of questions and answers（*Random House Dictionary of the English Language* より）、つまり「質疑応答」のこと。想定問答集などのように複数の問答があっても Qs&As ではなく Q&A とするのが普通。Q&A session は「質疑応答の場」のこと。同様の例に M&A がある。　☞　M&A

rat 名 ネズミ

rat race 激しい出世競争

オンライン版の『ロングマン英和辞典』には、「《常に単数形で》〔けなして〕出世［生存］競争、競争社会」とある。熾烈な生存競争をしていると言われるネズミにたとえて、「過酷でストレスの多い生存競争」「熾烈な出世競争」を意味する俗語として、アメリカで1940年ごろから使われている。

• The trouble with the rat race is that even if you win, you're still a rat.（熾烈な出世競争の問題は、たとえそれに勝ったとしてもあなたはやはりネズミであることだ）

smell a **rat** 《口》ネズミのにおいがする、何かがおかしいと思う

口語で「何かがおかしいと思う」「怪しく感じる」という意味のイディオム。隠れている「ネズミのにおい」を猫がかぎつけた時の反応からの比喩である。

red 名形 赤（い）

red-eye 名 夜行便、深夜飛行便 ☞ eye

red flag 危険信号、警戒［注意］を促すもの、警告

• If someone asks for your password over the phone, that's a big red flag. （もし誰かが電話口でパスワードを尋ねてきたら、それは大きな危険信号だ）

• Changing jobs every six months is a red flag for corporate recruiters. （6か月ごとに転職するというのは、企業の採用担当者に注意を促すことになる）

rev 名 （エンジン・レコードなどの）回転（revolution の略）

rev up で「（エンジンなどの回転速度）を急に上げる」「（生産高など）

を上げる」ということ。

• The coffee helped me rev up my energy level and become more productive.(コーヒーが私のエネルギーレベルを急速に上げて生産性を高めた)

rip 動 引き裂く、はぎ取る

rip off　（人）からものなどをだまし取る、ぼったくる

句動詞の rip off は、1960年代から70年代にかけて使われ始めたアメリカの俗語。もともとはヒッピーが使い始め、一般化したものと言われる。名詞の rip-off は「盗み」「搾取」の意味。

• That restaurant really rips people off, charging top prices for mediocre food.(そのレストランは平凡な食事に高い値段をつけているので、お客から本当にお金をだまし取っている)

「盗む」か「掘り出しもの」か

「盗む」という意味で最も普通に使われる動詞は steal だが、これを名詞として使うと、rip-off（盗み）とはまったく異なる意味にもなるから要注意。つまり、It's a steal. とは「安い掘り出しものだ」ということ。

---

rot 動 腐る

rotten apple　腐ったリンゴ

One rotten apple spoils the barrel.(樽の中に1つ腐ったリンゴがあると、全体を腐らせる) という西洋の古いことわざがある。そこから rotten apple は「他に影響を与える悪いやつ」の意味。be spoiled rotten は「甘やかされてすっかり駄目になる」ということ。

RTO オフィス［職場］復帰（return to the office の略）

職場への復帰命令は RTO［return-to-the-office］mandate と言う。

rub 動 こする、なでる

rub someone the wrong way 《口》（人）の気に障ることを言う［する］、（人）の神経を逆なでする

猫などを逆なですると怒るところに由来した表現。その反対の rub someone the right way は「（人）の機嫌を取る」「（人）を喜ばせる［なだめる］」という意味になる。

• Your habit of clipping your fingernails in the workplace has rubbed some coworkers the wrong way. (職場で手のつめを切るというあなたの習慣が、何人かの同僚を不快にさせた)

run 動 走る、動かす 名 走ること、続くこと

hit the ground **running** 本格的に活動を開始する ☞ hit

long **run** 長期間 ☞ long

"**run**, hide, fight" principle 「逃げる、隠れる、戦う」の原則

Run, Hide, Fight はアメリカの教室などに掲げられている標語。銃を持った不審者が校内に侵入し銃の乱射事件が起こった場合の心構えを示している。run は最優先事項で、とにかく走って逃げて安全な場所に避難する。hide は逃げる手段がない、あるいは逃げ遅れた場合、射撃者に見つからないような場所に隠れる。そして fight は、逃げも隠れもできない最悪の状況では、武器となりそうなものを持って戦う。ただ隠れた場合、射撃者に見つかると撃たれる可能性が高いので、hide に関しては議論がある。

run into …に偶然出会う、…に出くわす

• Tammy and Carl ran into each other at the supermarket last week.（タミーとカールは先週、スーパーマーケットでばったり会った）

run-on sentence　無終止文

2つ以上の主節を接続詞やピリオド、セミコロンではなくコンマで続けた文のこと。文がだらだらと続いてしまい、よくないとされる。

up and **running**　うまくいって、順調で、進行中で、（事業などを）立ち上げ稼働させて、機能させて ☞ up

rut

名（泥道などにできた）車の轍（わだち）

rut は泥道やぬかるみなどにできた「車輪の跡」から、「決まりきったつまらないこと」の意味。

be stuck in a **rut**　行き詰まっている

be stuck in a rut は「…にはまって身動きが取れない」、get [sink] into a rut は「マンネリに陥（おちい）る」「型にはまった生活をする」ということ。the same old rut と言えば、「型にはまった退屈な生活」「十年一日のごとくの生活」のこと。

• Ever since the pandemic broke out, Chuck has been stuck in a rut, finding it difficult to motivate himself.（パンデミックが発生して以来、チャックは行き詰まっており、自分自身をやる気にさせることが難しいと感じている）

墓穴との違いは？

The only difference between a rut and a grave is the depth.（退屈な生活と墓穴との唯一の違いは、墓穴のほうが深い）そのほかは同じ、ということ。

　ちなみに、一般的な墓穴の深さは6フィート（six feet deep、約183㎝）とされる。

Sam 名サム

Uncle Sam アンクル・サム

「アメリカ国民」または「アメリカ政府」の擬人化された名称。語源については諸説あるが、*The Facts on File Encyclopedia of Word and Phrase Origins* によると、アメリカ軍の精肉納入業者 Samuel Wilson のあだ名 Uncle Sam（略して U.S.）が肉箱につけられていたところからなどと言われている。漫画では、やせた白いあごひげのある長身の男で、青い燕尾服を着ている姿で描かれている。

SAT （アメリカの）大学進学適性試験

SAT はもともと Scholastic Aptitude Test の略だった。Aptitude が Assessment に改称された時もあったが、現在は略としてではなく SAT そのものが正式名称として使われている。

　アメリカでも最も影響力のあるロビー団体の1つとされている AARP もかつては American Association of Retired Persons の略であったが、現在は AARP を正式名称としている。最近は若くして退職する人や、高齢でも退職せずに働いている人たちも増え、退職前の人を会員に呼び込むために、もともとの名称が時代に適合しなくなったと判断したということのようである。

　最近は略称を正式あるいはほぼ正式名称として使う企業や組織が増えてきている。略称のほうが定着していたり、覚えやすくなっているためと考えられる。IBM（International Business Machines Corporation）、CNN（Cable News Network）、AT&T（American Telephone and Telegraph Company）などはその例。

> **よく知られた略称**
>
> ほかにも略称のほうがよく知られているものには、NATO

(North Atlantic Treaty Organization)、UNICEF (United Nations International Children's Emergency Fund、1953年 より United Nations Children's Fund)、NASA (National Aeronautics and Space Administration)、FBI (Federal Bureau of Investigation)、UNESCO (United Nations Educational, Scientific and Cultural Organization)、WHO (World Health Organization)、NBA (National Basketball Association) などがある。

マスコミの記事では Nato、Unicef などと略称のみで表記されることもある。

say 動 言う

as the **saying** goes　俗に言うように、ことわざにもあるように

「ことわざのとおり」「言うならば」ということで、ことわざや一般によく言われていることを紹介する際に使うフレーズである。as they say とも言う。

Do as I **say**, not as I do.　私のやっていることはまねしなくていいから、私の言うとおりにしなさい。☞ do

Hard to **say**.　《口》何とも言えない。よくわからない。☞ hard

I never **say** never.　《口》絶対にそんなことはないとは決して言えない。可能性がないわけではない。

　　Never say never. はことわざ。Nothing is impossible. Anything can happen.（不可能なことはない。何でも起こりうる）という意味。

I'll **say**.　《口》そうですとも。まったくです。

　　相手の発言や質問に対して強く肯定する言い方。

Say it ain't so!　《口》違うと言ってよ。うそでしょ。☞ ain't

say sorry　「ごめんなさい」と言う、謝る、詫びる

　　sorry という語を用いても、状況によっては必ずしも責任を認めた

ことにはならないが、注意して使う必要がある。軽く謝る場合は、Sorry 'bout that. などとも言う。ある程度きちんと謝る場合には、まず潔く It was my fault. と自分の責任を明確にしてから、My apologies. / I owe you an apology. / I hope you can forgive me. などと言う。

Says who?　だれがそんなこと言っているんだ。

「そんなことがあるわけないだろう」というニュアンス。相手の発言に対して「根拠を示せ」などと反発する言い方である。たとえばだれかが I heard that the pyramids were built by aliens.（ピラミッドは宇宙人が作ったと聞いた）と言った時、Says who? などと反応することがある。

That's easier **said** than done.　それを言うのは簡単だが、行うのは難しい。それは、言うは易し行うは難しだ。

Easier said than done. だけでも使う。

• My mother used to say, "Stop and think before you open your mouth." That may sound like basic common sense, but it's easier said than done.（母は、「口を開く前に止まって考えなさい」とよく言っていた。それは基本的な常識のように聞こえるかもしれないが、言うほど簡単ではない）

The devil you **say**!　《俗》まさか。本当かい。よく言うよ。

たとえばだれかが I just won the lottery.（まさに宝くじが当たった！）と言い、それに対して The devil you say! Are you serious? と反応すれば「まさか。本気かい?」という会話になる。

　The devil you did. も同じような意味で使う。

• "I cooked an authentic Mexican meal for my girlfriend last night."（昨晩、ガールフレンドのために本格的なメキシコ料理を作った）

　"The devil you did! You can hardly boil water."（本当かい！お湯を沸かすことすらできないくせに）

You can **say** that again.　まったくそのとおりです。

相手の言ったことに共感して、「本当にそうだ」「なるほど」の意で使う。You said it. も同じような意味。

　同じような意味の口語表現としてはほかに、Tell me about it. がある。これは「自分も同じ経験をしたことがあるのでよくわかります」「そうなのですよ」という共感の気持ちを表す文句。相手に話をするよう促すことばとしても使われる。しかし、このフレーズは状況によっては反語的に「(あなたに言われなくても)わかっているよ」ということで、もうそれ以上言うなという意思表示にもなる。

You don't **say**!　まさか。本当ですか。

Really? That's surprising. の意で使う。"The pizza joint no longer takes cash. That was a bit of a shock."(そのピザ店はもう現金を受け取らないのです。それはちょっとしたショックでした)"You don't say."(それは驚きですね)のように驚きを表す。

　しかしあまり驚いていないのにあたかも驚いたように言い、皮肉を表すこともしばしばある。たとえば、遅刻常習犯の同僚に関して、"Tony was late to the meeting today."(トニーはきょうの会議に遅刻しました)"Really? You don't say."(へーえ。そうですか)など。

You **said** it.　そのとおりだ。

• "It was quite hot and humid in Tokyo this summer."(今年の夏、東京はかなり暑くて湿度が高かったですね)

　"You said it. It probably will get worse next year."(そのとおり。来年は多分もっと悪くなるでしょう)

see　動 見る、みなす

as one **sees** fit　適切とみなす[思う]ように ☞ fit

see the writing on the wall　(悪い)前兆を見てとる

旧約聖書『ダニエル書』(*Book of Daniel*) の一節からで、the writing

［handwriting］on the wall とは、バビロンの王ベルシャザルの宴会場の壁に書き記された、国の崩壊を予言する文字のこと。「不吉な災いや差し迫った災難・失敗などの前兆」を意味する。

set ［動］置く、…にする

set agenda　決められた議題

agenda（議題、議案、協議事項）はもともとラテン語の agendum の複数形だが、現代の英語では agendum はあまり使われず、agenda は通常単数形として扱われる。その複数形は agendas となる。「最初の議題」は the first item on the agenda と言う。

set the world on fire　大成功を収める、有名になる　☞　fire

sex ［名］セックス

safe sex　セーフ・セックス

The Oxford Dictionary of New Words には、safe sex あるいは safer sex とは Sexual activity in which precautions are taken to ensure that the risk of spreading sexually transmitted diseases（especially AIDS）is minimized.（性感染症（特にエイズ）を蔓延させる危険性を最小限に抑えるための予防措置が取られた性行為）と説明がある。もともとは妊娠を回避するための安全なセックスといった意味で使われていたのだが、エイズの出現により「性感染症にかからないための」という具体的な意味を持つフレーズになった。

sit ［動］座る

sit back　深く腰かける、くつろぐ、ゆっくりする

• Tina needs to sit back and think about her career goals.（ティナはじっくりと、自分のキャリアの目標について考える必要がある）

sit behind the wheel　（自動車の）運転席に座る、（自動車を）運転する

「車の輪形のハンドル」は英語では steering wheel と呼び、handle は「（ドアなどの）取っ手」の意味になる。sit［get］behind the (steering) wheel で「自動車の運転席に座る」「車を運転する」という意味になる。fall asleep at the wheel は「ハンドルを握ったまま眠りに落ちる、居眠り運転をする」ということ。

six　（基数詞の）6、6つ

deep-six　動《俗》（海に）投棄する、廃棄する、お払い箱にする

一般的な墓穴の深さが6フィート（six feet deep、約183cm）とされることから。

six-figure income　6桁の収入

John makes a six-figure income［six figures］. で、「ジョンは6桁（10万ドル以上）の高収入がある」という意味。

• My boss gave up a six-figure income to do missionary work overseas. （私の上司は、6桁の収入を捨てて海外で宣教活動をすることになった）

son　名 息子

prodigal son　（悔い改めた）放蕩息子、（改心した）道楽者

新約聖書『ルカによる福音書』（*Gospel According to St. Luke*）に出てくる「放蕩息子」のことで、父の財産を浪費したが、改心して家に帰り温かく迎えられたという人物。the return of the prodigal son は「放蕩息子の帰宅」「罪人の悔い改め」の意味で用いる。

sun　名 太陽

block the sun　太陽光を遮る

parasol は、defense against を意味する para と、sun を意味する

tab　146

sole から成り、「太陽から守るもの」で、日傘のこと。雨傘は（rain）umbrella だが、現在、日本では折りたたみ式で晴雨兼用のものも多い。男性も日傘を使うことが増えてきているが、まだ海外ではあまり目にしない。

Make hay while the **sun** shines! 《ことわざ》行動を起こすには好機を逃さずに。

文字どおりの意味の「日の照っているうちに干し草を作れ」というところから。Strike while the iron is hot.（鉄は熱いうちに打て）も同様な意味のことわざ。

nothing new under the **sun** 太陽の下に新しいものなし

under the sun は「世界中で［の］」「この世の中で［の］」ということ。There is nothing new under the sun. は旧約聖書の『伝道の書』（Ecclesiastes）にあることば。どんなに新しいと思われることでも、実は、昔あったものの変形にすぎない、完全に新しいアイデアなど存在しないという意味でことわざとして使われる。

tab 图勘定書き、タブ、つけ札

keep **tabs** on …を見張る、…を注意深く見る、…に気をつける

• Sandy keeps tabs on the latest developments in AI technology.
（サンディーは、AI 技術の最新の動向を絶えず追っている）

pick up the **tab** 《口》勘定を払う

主にレストランの食事などの「勘定を払う」ということだが、一般的に「費用を持つ」という意味で使うこともある。tab の代わりに bill や check も用いる。

tag 图札、タグ

put a price **tag** on …に値札［値段］を付ける

price tag は「値札」「正札」のことだが、何かのコストについて比喩

的に使うこともある。

- You can't put a price tag on friendship.（友情はお金では測れない）
- Urbanization comes with a hefty price tag.（都市化にはばく大な費用が伴う）

tap ［動］軽くたたく、タップする

tap into　…と接触する、…に入り込む、…を利用する

- Daryll tapped into his love of history to write a novel about time travel.（ダリルは歴史好きであることを生かして、タイムトラベルに関する小説を書いた）

tea ［名］茶

one's **cup** of tea　好み、好物

イギリス人にとって「お茶」は大好物。日常生活からは切り離すことができない。そこで「気に入ったもの［人］」のことをこう呼ぶ。古くからあるイギリスの表現である。否定形で「（人）の好みではない」と使うことも多い。

- Action movies are not my cup of tea.（アクション映画は私の好みではない）

tie ［名］ネクタイ ［動］結ぶ

knot a **tie**　ネクタイを結ぶ

knot にも tie にも名詞と動詞両方の用法があるが、語順を逆にして tie the knot と言えば「結び目を作る」から、口語のイディオムで「結婚する」「結婚式を挙げる」という意味になる。結婚式において花嫁、花婿の着ているものやリボンを結んだのは「結ばれる」ことの象徴であるから。

tip 　名 チップ、心づけ

語源には諸説あるが、*Dictionary of Word Origins* によれば、17世紀の裏社会の隠語で、give の意で使われていたものが、18世紀になって「心づけを与える」の意味に転化した (It was used in 17th-century underworld argot for 'give' ... and this evolved in the 18th century to 'give a gratuity.') のだそうだ。to insure promptitude [promptness] (迅速性を確保するため) の頭字語からきているというのは言語学的な根拠がない民間語源説 (folk etymology) とされている。しかし現代のアメリカのようにサービスを受ける前にチップを支払うという習慣が広まってくると、こちらの説のほうが正しいようにも聞こえてくる。

　tip jar と呼ばれるチップを入れる入れ物があれば、レジで支払いの際にお釣りの小銭を入れればよく、具体的な金額もほかの人にははっきりとはわからなかった。クレジットカードなどで支払いをする場合には、自動支払いシステム (automated payment system) により、決裁時にチップの目安 (suggested tip) がパーセントで示されるようにもなった。

tip creep　　チップが次第に上昇すること

かつてチップは料金の1割程度が目安などとされていたが、今では一般的なトレンドとしてその「相場」が徐々に上昇してきている。食事をする際にも、アメリカの大都市の中級レストランの場合、ランチでは15パーセント、高級店のディナーの場合には20から30パーセント以上が「普通」とされるようになってきた。tip と inflation を組み合わせて tipflation などとも呼ばれる。

同形異義語

tip には「心づけ」を意味する tip のほかにも、「先端」の意味の tip や「傾ける」ことを意味する tip がある。このようにつづりは同じでも語源や語義が異なる語のことを同形異義語（homograph）と呼ぶ。発音は、同じ場合もあれば異なる場合もある。発音が異なる場合の例としては、以下のようなものがある。

• The bandage was wound /wáund/ around the wound /wúːnd/.（包帯は傷の周りに巻かれた）

• We have to polish /páliʃ/ the Polish /póuliʃ/ furniture.（私たちはポーランドの家具を磨かなければならない）

• Seeing the tear /téər/ in the painting I shed a tear /tíər/.（絵画の中の裂けた箇所を見て、私は涙を流した）

TLC 優しい心遣い、優しい愛のケア（tender loving care の略）

病院やその他の看護の現場から生まれたと考えられている。20世紀半ばからは、より一般的にほとんどすべてのものに対する親切で優しい態度に関して使われるようになった。

• Recovering from illness often requires rest, proper nutrition and a little TLC from friends and family.（病気からの回復には、休養、適切な栄養補給、それに友人や家族からのちょっとした愛情がしばしば必要だ）

• To help your new plant thrive, give it some TLC — water regularly, provide sunlight and don't forget to engage in a friendly talk.（新しい植物を育てるには、少し愛情をそそいであげよう。定期的に水を与え、日光に当て、親しげに話をしてあげることも忘れずに）

toe 名 足の指

be on one's toes　(活動の)準備を整えた、(精神・肉体的に)緊張して

「つま先立ちでいる」ことから、緊張しているさまを表す。

- Always try to be on your toes when you're texting your boss.
（上司に携帯メールを送る時には、常に気を配るようにしなさい）

step [tread] on someone's toes　(人)の感情を害する

「人のつま先を踏む」ことから、「(人)を不快にさせる」「(人)を怒ら
せる」といった意味。

- You need to be aware of unwritten rules in the company if
you don't want to step on people's toes.（人を不快にさせたくなけ
れば、社内の暗黙のルールを知っておくべきだ）

ton 名 (重量の単位)トン

tons of money　大金

ton は重量の単位だが、「たくさん」「大量」という意味で抽象的な概
念についても使う。たとえば need tons of time and energy（たくさ
んの時間とエネルギーを必要とする）、get tons of useful information
（大量の有用な情報を得る）。tons of のほかに scads of、lots of、a lot
of、a plethora of、a bellyful of なども使う。

too 副 …すぎる

all too often　往々にして、必ずと言っていいほど、何度も ☞ all

too beautiful for words　ことばでは表せないほど美しい

- The Hawaiian sunset was too beautiful for words.（ハワイの日
没はことばで表せないほど美しかった）

too big to fail　大きすぎて潰せない、破綻させるには大きすぎる

特定の企業、特に金融機関はあまりにも大きく、破綻させると経済

が大混乱に陥るので救済せざるを得ない、という状況のこと。メガ
バンクのように大規模で金融システムの中核をなす金融機関が破綻
すると、この金融機関と取引のある多くの企業において連鎖的に資
金繰りの悪化や信用不安が広がり、実体経済全体に悪影響を与える
恐れがある。そうなった時には、政府の支援が必要となることを指
している。

too good an opportunity to pass up　あまりにもよい機会なの
で見送ることができない、見送るにはもったいないほどのよいチャンスである

転職が決まった人が辞表などで辞意を表明する時に使われる典型
的なフレーズで、It seemed like an opportunity too good to pass
up.（断るにはもったいない機会のように思えた）のように使う。

top 名 頂上、頭、トップ

off the **top** of one's head　準備なしに、即席で

「準備なしに」「即席で」という意味で、off the cuff も同じような意
味に使う。

on **top** of　❶ …に加えて　❷ …をしっかり把握して ☞ on

top brass　上級幹部

brass は「真鍮（しんちゅう）」のこと。真鍮製の飾りや楽器なども brass と言う。
軍服や帽子についている真鍮製の階級章から、高級将校を口語で集
合名詞として the brass や top brass と呼ぶ。そこから一般に企業
や役所などの「お偉方」「上級幹部」も top brass という。

top-of-the-line　形 最高級の、最新鋭の

もともとこの line は product line のことで、あるメーカーが生産す
る同一種類の製品群ということ。その中でも最高の品質や価格のも
のを指したのだが、一般的には「最高級の」意味する形容詞として
使われる。top-line も「最も重要な」「トップレベルの」という意味で
用いられる。

two （基数詞の）2、2つ

a thing or **two** 《口》多少、ある程度、かなり

文字どおりには「1つか2つ」だが、口語では特に知識について「多少」「ちょっと」「ある程度」といった広い意味で使われる。know a thing or two は「多少の知識がある」ということだが、自分のことについては、謙遜して控えめに言う時などに用いることもある。他人について言う場合には、文脈によって「かなり」「相当な」という意味でも使う。

It takes **two** to tango. 《口》タンゴを踊るには2人必要だ。

争いごとなどが起こった時に言うと、「一方だけに責任があるのではない」「責任の所在は両方にある」「双方の協力が大切」というような意味になる。

offer one's **two** cents' worth [**two** cents]　意見を述べる

two cents は「2セント（の価値しかない意見）」「取るに足らないもの」という意味で、謙遜や軽い皮肉などを込めて使う。Here's my two cents' worth. は、「たいした価値はありませんが［つまらないことかもしれませんが］、これが私の考えです」ということ。

• To offer my two cents on this issue, we should get plenty of rest and avoid stress.
（この問題についての私の考えは、私たちは十分な休息を取り、ストレスを避けなければならないということだ）

two-edged sword　諸刃の剣

double-edged sword とも言う。一方では有益だが、他方では問題があるもののこと。☞ cut（cut both ways）

• Smartphones are a two-edged sword. They enable instant access to information, but excessive use can lead to nomophobia and reduced face-to-face interactions. （スマートフォンは諸刃の剣で

ある。情報への即時アクセスを可能にするが、過度な使用はスマートフォン依存症や顔を合わせた人とのふれ合いの減少につながることがある)(＊ nomophobia とは no + mobile + phobia を略したもので、スマートフォン依存症[中毒]を意味する。スマートフォンなどの携帯電話端末がないと不安になったり恐怖を感じるという依存症で、特に若い世代に多く見られる症状)

two-way street　《口》両者の協力が必要な状況、相互的な関係

もともとは「2車線道路」のことだが、そこから比喩的に「互恵的関係」を意味する。ちなみにメジャーリーグで投手としてもバッターとしても活躍する「二刀流」の大谷翔平選手のことを、アメリカのメディアは two-way baseball star[superstar, superhero]などと呼んでいる。

背中のかきっこ

互恵的関係を backscratching とも呼ぶ。『ロングマン現代英英辞典』のオンライン版ではこれを、the act of doing nice things for someone in order to get something in return（見返りを求めてほかの人に親切なことをする行為）と説明している。これはことわざの You scratch my back, (and) I'll scratch yours.（私の背中をかいてくれるのなら、あなたの背中をかいてあげよう＝私を助けてくれるなら、あなたを助けてあげよう）からできたフレーズ。

「孫の手」のことは backscratcher と呼ぶ。

---

use　動 使う　名 使用

single-use　形 1回使ったら捨てる、使い捨ての

1回だけ使って捨てられるプラスチック製品などについて使われる。

一般的に single-use plastics や single-use plastic products と呼ばれるが、具体的には、レジ袋、ストロー、テイクアウトなどに用いられる食品容器、ペットボトル、医療器具などを含む。反対の意味の形容詞は reusable（再使用［再利用］可能な）。

「使い捨ての」という意味ではかつては disposable や throwaway が使われていたが、こうしたものによる環境汚染が指摘される中、*Collins Dictionary* は single-use を2018年の Word of the Year に選んだ。

Use it or lose it.　　使わなければだめになる。

筋肉、能力、知識などを「使わないとだめになる」という意味の決まり文句。英語もいつも使っていないと、やがてさびついたようになって（get rusty）しゃべれなくなる、と言われる。

used bookstore　古書店　☞ book

vet　名 獣医師　動《口》（動物）を診察する、（人）の経歴調査をする

「獣医」という意味の veterinarian を略した語だが、動詞としては「（動物）を診察する」「綿密に調べる」ということ。そこから転じて、アメリカの政治用語では「身体検査［経歴調査］を行う」という意味で使うようになった。

　日本でも「身体検査」が「組閣に当たって、入閣候補者がカネや異性関係などの不祥事を抱えていないか、身辺調査を行うこと」（『イミダス』より）という意味の政治用語として使われるようになり、2007年の新語・流行語大賞の候補にもなった。

vet　名 兵役経験者、退役軍人（veteran の略）

陸海空軍・海兵隊・沿岸警備隊で、通常は長年兵役を経験した退役軍人を指す。

was 動 be の1人称・3人称単数の過去形

What **was** your name (again)?   お名前をもう一度お願いします。

was と過去形を使っていても、旧姓を尋ねているということではない。相手の名前が聞き取れなかったり、記憶になかったりする場合に「お名前をもう一度言っていただけますか」という意味で用いる。

way 名 道、方法

come a long **way**   大いに進歩する

come a long way には「(人が) はるばるやって来る」という意味もあるが、慣用句としては「(人や物事が) 大いに進歩 [成功] する」「偉くなる」という意味になる。Reiko's English has come a long way. は「玲子の英語はずいぶん進歩した」ということ。You've come a long way, baby. は女性向けのタバコのブランドの Virginia Slims が1960年代から使い始めて大ヒットした広告のキャッチフレーズ。「あなたはかつての時代の従属的な女性から、はるかに自己主張が強く、自立した存在になり、大きな進歩を遂げましたね」というメッセージが込められていた。

cut both **ways**   諸刃の剣である、一長一短である ☞ cut

wee 形《口》ちっぽけな

a wee bit は「ほんの少し」という意味。

wee hours   未明

wee hours (of the morning [night]) で深夜 の1時、2時 ごろの「小さい数字」の時間のことを指す。

•My boss often sends me emails in the wee hours of the morning. (私の上司はしばしば、未明にメールを送ってくる)

wet 形 濡れた

wet behind the ears 《口》青二才である

「青二才」「世間知らず」という意味の成句。生まれたての赤ちゃんの
ように「耳のうしろがまだ濡れている」ということで、まだ一人前で
ないことを言う。「未熟者」「新米」のことは greenhorn と呼ぶ。

「ペンキ塗りたて」

There was a "Wet Paint" sign on the bench. Underneath
someone had written "Not an Instruction."

ベンチにあった Wet Paint は「ペンキ塗りたて」という一般
的な掲示で、wet はペンキやインクなどが「まだ乾いていな
い」ということ。ただ wet には動詞として「ぬらす」「湿らす」
と、「小便する」という意味もあり、wet one's pants は「ズボ
ンに小便をもらす」、wet one's bed は「おねしょをする」と
いうことになる。

そこでその掲示の下にだれかが書き込んでいたのは「これ
は指示ではない」、つまり wet を動詞ととらえて「ペンキに小
便をかけよ」という意味の命令文ではないということになる。

WFH 在宅勤務（work(ing) from home の略）

work(ing) remotely とも言う。☞ work（work remotely）

who 代 だれ

Who knows?　だれにもわからない。何とも言えない。

「だれが知っていようか」から、反語表現で「だれも知らない」という
意味。「だれにもわからない」「何とも言えない」ということで、

Nobody knows ... と同じ意味。God（only）knows ...（神のみぞ知る）とも言う。

who's who　だれがだれなのか、人名録

who is who を略したものだが、名詞の who's who は「（各界の）人名録［紳士録］」を意味する。who's who in politics は「政界の人名録［紳士録］」のこと。出版されている人名録では通常このように、who's who in のあとに各分野名や地域名が続く形式になっている。

win 　動 勝つ

win-win　形 双方とも満足のいく、お互いにメリットのある、無難な、安全な

1970年代終わりごろから使われるようになった造語で、win-win situation［deal, proposal］のように使われる。反対は lose-lose で、「双方にとって都合の悪い」。

wit 　名 ウィット、機知

at one's wits' end　途方に暮れて

ほとほと困っている状況を指す。wits と複数形で使うと「ウィット」「機知」ではなく、「知力」「正気」「心の平静」を意味する。wits' end は「知力の限界」の意。

　　lose one's wits は「正気を失う」、collect［gather］one's wits は「心の平静さを取り戻す、気持ちを落ち着かせる」こと。battle of wits は「知恵比べ」「駆け引き」。

woo 　動 口説く、言い寄る、せがむ、懇願する

・The Latin American country is trying to woo foreign investors with big tax breaks.

（そのラテンアメリカの国は、大幅な税制優遇措置によって海外の投資家を呼び込もうとしている）

WOW　動《口》驚嘆［感心］させる、うならせる

間投詞の wow は驚きや喜びを表す「わぁー」だが、wow someone
で「(人) を驚嘆させる［感心させる、沸かせる］」ということ。

WWI　名 第1次世界大戦

I はローマ数字の1で、World War One と読む。the First World
War とも言うが、この場合は冠詞がつく。なお、Queen Elizabeth I
(女王エリザベス1世) の場合には the First と読む。

ZOO　名 動物園 (zoological garden の短縮語)

ビジネスパーソンが自社の状況を It's a zoo! と表現したら、社内に
動物園があるということではなく、オフィスの状況が「しっちゃかめ
っちゃかな状態」「混乱状態」にあるという意味である。

• The office turned into a complete zoo when a massive layoff
was announced. (大量一時解雇が発表されると、オフィスは完全に混乱
状態に陥った)

• Life is a zoo in a jungle. (人生はジャングルの中の動物園)

弱肉強食のビジネス社会

日本のことわざに「男は敷居を跨げば七人の敵あり」という
のがあるが、英語ではビジネス社会のことを「弱肉強食の世
の中」の意味で、executive jungle や corporate jungle など
と呼び、ジャングルにたとえることがある。都会で働くビジ
ネスマンの中には、毎日帰宅すると、It's a jungle out there.
などと言いながらグラスを手にする人も多いとされる。